D0410752

Henriëtte de Smet

Poldertango

Westfriesland

Voor Isabelle

Met dank aan Corrien, Karin, Sarah, Bert, Paul en Remmelt

www.kok.nl

ISBN 978 90 5977 569 5
NUR 301

Omslagontwerp: Julie Bergen
Omslagfoto: Kim Steele, Getty Images

PROLOOG

Die ogen! Zwarter dan de dikke eyeliner eromheen houden ze Lena's blik gevangen.
Als ze zich na lichtjaren uit de priemende steenkolen weet te bevrijden, kijkt Lena naar de gouden omslagdoek met de ronde spiegeltjes om de tengere schouders.
Met paars garen zijn ze erop geborduurd. Donkerrode haren pluizen over de stof.
In het schijnsel van de olielamp glinsteren die spiegeltjes alle kanten op.
Haar huid moet wel stikken onder de bruine make-up die de rimpels en plooien nog eens accentueert. De vrouw trommelt met haar knokige vingers op het Perzische tafelkleed.
Ze lijkt in trance. De zilveren, afbladderende lak van haar nagels is minstens een maand oud en op haar wijsvinger en duim prijken nicotineplekken.
Het straalkacheltje op de zandgrond in de hoek van de donkerblauwe tent, die bezaaid is met zilveren en gouden sterren en manen, moet de kilte wegnemen.
Het is koud. Te koud voor het kacheltje.
Het gezicht tegenover Lena licht plotseling op. Eureka?
In een soort van glimlach openen de dunne, roodgeverfde lippen zich en tonen tanden van precies dezelfde grootte, keurig op een rijtje. Een gebit zoals haar oma ook had. Een kunstgebit zoals dat zo'n veertig jaar geleden gemaakt werd. Op een van de voortanden zit een streepje lippenstift.
'Het wordt heel bijzonder. Je ontmoet hem op een heel speciale manier. Je herkent hem niet meteen als de man van je

leven. Maar let op: hij is het wel!'
Ze lacht. Een hysterische lach.

Zes jaar later:

Het is druk in de kroeg, lawaaiig en rokerig. Lena neemt een slokje van haar wijn.
Tegenover haar zit een Arabisch uitziende man. Hij heeft een grijs colbert aan, een blauwgeruit overhemd daaronder. De boord van zijn kraag laat de rand van een wit T-shirt zien.
Hij is niet onaantrekkelijk, maar zeker niet innemend. Bovendien is hij haar te oud.
Minstens twintig jaar ouder dan zij; een jaar of veertig, schat Lena.
Zijn ogen staan afstandelijk. Hij is niet echt in haar geïnteresseerd.
'Houd je hand stil,' beveelt hij haar. 'Zo kan ik het niet goed zien,' voegt hij eraan toe.
De top van zijn wijsvinger glijdt over de binnenkant van haar rechterhand.
Hij knipoogt naar Gwen, die naast haar zit. Zijn bedoelingen zijn duidelijk, dit moet hij voor zijn fatsoen ook even bij Lena doen, omdat hij het zojuist bij haar vriendin deed.
Met aanmerkelijk meer enthousiasme overigens. Hij wil eigenlijk niets in haar hand zien, want hij ziet niets in haar. Hij wil zo snel mogelijk klaar zijn om zijn aandacht weer volledig op haar vriendin te kunnen richten.
Houd maar op dan, het hoeft niet.
Maar hij hoort het niet. Ze heeft ook niets gezegd. Ze zit stil, eigenlijk wil ze dit niet. Ze wil naar Tim, haar favoriete collega, die daar aan de bar staat.
Ze heeft hem al zo lang niet meer gezien. Ze neemt nog maar een slok.
'Houd stil die hand!' klinkt het weer geïrriteerd.
Pff, ze heeft zin om de man een mep te verkopen. Ze voelt zich benauwd, houdt hier helemaal niet van.

Stop maar, laat maar, het hoeft niet. Doe geen moeite.
Toch is ze benieuwd naar wat hij gaat zeggen. In de hand van Gwen had hij dingen gezien die hij niet kon weten.
Niemand kon die weten, alleen zij, omdat zij Gwens beste vriendin is. En het klopte, allemaal. Haar nieuwsgierigheid wint het van haar ongemak.
Ze blijft stil zitten.
Hij schudt zijn hoofd. 'Het is te veel. Er gaat iets gebeuren, iets dramatisch, ik weet niet wanneer of wat. Het is niet leuk om te horen, maar ik moet het je toch zeggen, voel ik.'
Ah, fijne mededeling. Dank u. Wat moet ze hier nu mee? Bang worden voor de toekomst?
'Nee, over de liefde kan ik niets zeggen, er zijn veel mannen in jouw hand. Uiteindelijk zul je het wel eens vinden, alleen hoe of met wie kan ik je niet zeggen. Ik zie te veel mannen. Veel te veel.'

HOOFDSTUK 1

De muzikanten lijken niet te ademen. Apathisch staren ze voor zich uit, zonder ook maar eenmaal met de ogen te knipperen.
Twee violen, een contrabas, een vleugel en een bandoneon zwijgen aan de rand van de ronde dansvloer.
Op rieten stoeltjes zit het publiek aan lage tafeltjes rustig te wachten. Er wordt nauwelijks gepraat, hooguit hier en daar wat gefluisterd. De zaal is sfeervol verlicht en Lena telt vijf magistrale, groene varens die de vloer rondom afscheiden.
Plotseling zetten de violisten heftig in. De pianist volgt, maar het klinkt alsof hij een ander stuk speelt. Een kakofonie van ongecoördineerde klanken. Dan flitsen alle lampen aan en de zaal baadt in een zee van licht.
Een man van een jaar of vijfendertig in een veel te grote, versleten jas met een zwarte boerenpet op zijn hoofd, betreedt zwalkend de vloer. Hij heeft een fles in zijn hand waar hij continu uit drinkt. Hij steekt zijn duim op naar het orkest en zo goed en zo kwaad als dat gaat, maakt hij een rondje over de dansvloer. Daarbij kijkt hij lodderig naar het publiek.
Hij buigt, neemt zijn pet af, verliest bijna zijn evenwicht, zet zijn pet weer op, strompelt door en gaat voor het orkest staan, dat zwijgt.
De beurt is nu aan de bandoneonspeler en de contrabassist, die hetzelfde stuk spelen. Het lukt hun om net zo belachelijk te klinken als hun voorgangers.
Een slanke vrouw in een beige trenchcoat loopt hooggehakt de vloer op. Een enorme flaphoed bedekt grotendeels haar

gezicht. Ze heeft een bruinleren koffer bij zich.
Tussen de slokken door bekijkt de man haar geïnteresseerd, zij negeert hem, schrijdt met opgeheven hoofd langs hem. Naast een van de varens zet ze haar koffer neer.
Abrupt draait ze zich om en dribbelt op de man af. Kaarsrecht gaat ze voor hem staan. Haar handen plaatst ze in haar zij. Ze zakt licht door haar rechterknie en met haar linkervoet draait ze twee keer traag een rondje op de vloer. De man buigt wat voorover om haar goed te kunnen zien, zet de fles op de grond en haalt een biljet uit zijn jaszak.
Zij grist het geld uit zijn handen en steekt het ter hoogte van haar borsten onder haar jas.
De violen en de vleugel vallen de bandoneon en de contrabas bij in de kakofonie.
In één beweging hebben de man en de vrouw elkaar gevonden. Zijn rechterhand rust op haar schouderblad, haar linkerhand op zijn bovenarm. Met ineengestrengelde vingers maaien hun gebogen armen woest heen en weer. De benen volgen in tegengestelde beweging het tempo. Ze staan nog steeds op dezelfde plek. De man besluit kennelijk dat hij wil dansen, want ruw trekt hij haar mee de dansvloer over. Het leiden gaat hem niet goed af en zij hangt voorovergebogen tegen hem aan. Het stel probeert een rondje te draaien, hetgeen jammerlijk mislukt.
Een koddige dans wel, maar bepaald niet wat Lena zich voorgesteld had. Bovendien doet de muziek pijn aan haar oren.
'Tango de salón: vurig, gepassioneerd en meeslepend', luidde de tekst op de abri die Lena gisteren in de stromende regen was opgevallen vanwege de opwindende afbeelding. Een clowneske voorstelling was wel het laatste dat gesuggereerd werd.
De rest van het publiek amuseert zich beduidend beter; aan de meeste tafeltjes wordt hard gelachen.
Ligt het dan aan haar? Is dit een geweldige voorstelling en is zij gewoon niet in staat om ook nog maar ergens van te genieten? Net als Lena besluit voortijdig de aftocht te blazen, verandert er iets in de muziek. En bij de dansers. Hun bewegin-

gen worden vloeiender, intenser. Ze krijgen er plezier in samen. Verrast kijken ze elkaar aan, de vrouw glimlacht een vraag die de man kort met een trotse knik beantwoordt. Zij vlijt zich dicht tegen hem aan, haar hoofd rust in zijn hals terwijl hij haar met lange passen in volkomen harmonie leidt. Alleen de bandoneon speelt nog. Alle lichten doven en één spot volgt de plots ontstane intimiteit. De man trekt de hoed van haar hoofd en gooit die het publiek in. Zij doet hetzelfde met zijn pet.
De volgspot dooft, het is pikdonker. En doodstil.
Dan zet het orkest gloedvol in. Het sfeerlicht gaat aan en de man en vrouw maken een strakke pirouette, waarna zij zich in zijn armen laat vallen. De jassen liggen op elkaar naast de koffer.
Door de split van de flinterdunne robe gooit ze een been gestrekt in de lucht.
Hij buigt zich over haar heen om haar lippen te kussen. Direct veert zij op zodat hij zijn doel mist en ze draait zich uit zijn armen. De hoge hakken trappelen pas op de plaats, haar rechterarm zwaait sierlijk omhoog en uitdagend kijkt zij hem aan.
Hij doet een stap naar voren.
Zij danst twee keer staccato om hem heen. Pak me dan, als je kan.
In die zwarte broek met dito overhemd en bretels is hij van boerensukkel getransformeerd in een rijzige versie van Antonio Banderas.
Weer gooit ze een been omhoog, dat hij in zijn handen opvangt. Haar standbeen draait ze honderdtachtig graden teneinde zich te bevrijden, haast ongemerkt geeft hij een rukje aan haar voet, waardoor ze met haar rug tegen hem aan valt. Liefdevol dominant legt hij zijn armen over haar borsten. Zij wentelt zich naar hem toe en ze staan stil tegenover elkaar. De aarzeling duurt slechts een fractie van een seconde, want meteen glijdt zijn dij over de hare.
Zij gooit haar hoofd in haar nek, zijn borst duwt haar bovenlichaam achterover. Nu slaat zij haar been om zijn middel. De

violen krijgen hitsig de overhand en na een zwierige zwaai van haar neemt het paar wild alle ronde hoeken van de dansvloer. Met oneindig variërende passen en een minstens zo groot scala aan zwoele blikken verbeelden ze verticaal het horizontale verlangen. Eén met de muziek en elkaar, tilt hij haar hoog boven zich uit. Met haar slanke, gespierde benen in spagaat en de armen bijna tegen elkaar boven haar hoofd gestrekt, vormt zij gracieus een omgekeerde hoofdletter T. De T van Tango!
De strakke buik en volle borsten glijden langs zijn lichaam naar beneden.
Haar sensueel glimmende gelaat, alsof ze hevig transpireert, wordt omlijst door lange, zwartgolvende slierten, glanzend van het vet, zodat haar haren kleddernat lijken te zijn. Blauwe ogen schitteren boven de volle, donkerrode lippen. Ook die glanzen. Alles glimt aan haar, ze is bedekt met een prille dauw van onontgonnen extase.
De violen zijn uitgespeeld; de bandoneon herpakt langzaam en treurig. Het sfeerlicht dooft en voor twee tellen gaat het beeld op zwart. Direct heeft de volgspot het duo gevonden dat zich nu onbevangen overgeeft aan melancholie. Zachtjes koesteren ze elkaar, terwijl hun voeten de meest ingewikkelde figuren trekken. Ze lijken het koud te hebben of verdrietig te zijn, en zoeken verwarming bij elkaar. Of troost. Die ze vinden, uiteraard. Bij dit stel is niets anders mogelijk. En ze dansen, ze dansen maar door. Ze dansen het leven door.
En dan, dan is het ineens voorbij. De muziek stopt en de lampen flitsen vol aan.
Het paar buigt sierlijk, een ovationeel applaus volgt, het publiek is erbij gaan staan.
Verdwaasd kijkt Lena om zich heen. Nee toch, is het afgelopen, nu al?
De man leidt de vrouw de dansvloer af en het applaus zwelt nog harder aan. Lena doet nu mee. Zo hard, dat ze haar handen bijna stuk klapt.
Ja, het was een geweldig idee om vanmiddag naar deze voorstelling te gaan. Eigenlijk niets voor haar, zo helemaal in haar

eentje. Ingegeven door de stortbui van gisteren had ze impulsief besloten het gewoon eens te doen, al had ze er niet veel van verwacht.
Maar een ongekende, wonderlijk gepassioneerde wereld heeft zich zojuist aan haar geopenbaard.
Het is de hoogste tijd om haar bestaan een nieuwe impuls te geven.

HOOFDSTUK 2

'Het spul ligt erin, ik ben rond elven thuis.'
Marcel drukt een kus op haar voorhoofd en beent met grote passen de kamer uit.
Lena's blik glijdt over de schaal, die nog voor de helft gevuld is met pasta. Daaromheen vier door de bolognesesaus roodgevlekte borden. Op twee drijven wat gehaktresten in een prutje; de kinderen eten hun bord nooit helemaal leeg. Drie waterglazen, waarvan één wel heel erg beduimeld, en een tuimelbeker. Twee lege wijnglazen.
De hele boel staat haar smekend aan te gapen om snel de afwasmachine in te mogen.
He-le-maal geen zin in.
Rode vetvlekken ontsieren het lichtblauwe tafelkleed met gele zonnetjes ('o mam, wat een mooi kleed, dat nemen we!'). Dit is gelukkig slechts een kwestie van afnemen, want sinds een paar jaar gebruikt ze uitsluitend nog plastic kleden, of placemats. Maar straks, hoor, nu eerst even op de bank voor de tv.
Terwijl ze de woonkamer in loopt, ruimt ze terloops wat speelgoed van de grond. Wat een bende maken die twee er toch altijd van. Televisie aan, languit gestrekt. *Jouw vrouw, mijn vrouw*. Onzin, snel door. *De opvoedpolitie*. Weg ermee. Twaalf zenders zapt ze af, er is niets dat haar kan boeien. Dan maar niets, gewoon ogen dicht en relaxen.
Het tadadie-tadada (vond Marcel een leuke toon) van de telefoon rukt haar uit een mooie droom. Ze kijkt op haar horloge: negen uur. Waar ligt dat ding? Op de bank tegenover haar, tussen de dikke kussens, en helaas, ze is te laat. Ze belt de

voicemail, er zijn geen berichten. Dan nu niet langer meer gedraald, húp afruimen maar; het zal toch een keer moeten gebeuren.
Kordaat draait ze zich om en blijft met de neus van haar schoen achter het witte, hoogpolige karpet hangen. Net op tijd hervindt ze haar evenwicht. Diverse keren heeft ze al wél op de grond gelegen en de kinderen struikelen er ook geregeld over. Verre van praktisch dus, dit kleed, evenals de rest van de voornamelijk wit ingerichte woonkamer. Maar alleen parket vond ze te kil.
De witte bank, sofa en grote fauteuil waren ook te mooi om in de winkel te laten staan. Dikke, lichtblauwe, met donkergroene bladeren geborduurde kussens maken het gezellig genoeg om net geen steriel showroombeeld op te leveren. En het grote Gauguin-schilderij boven de open haard – een kleurige afbeelding van drie Polynesische vrouwen – doet de rest, tezamen met de vrolijk rode tulpen op de bamboe tafel en de uitbundig groeiende palm in de hoek.
'Niet alles hoeft honderd procent kidsproof te zijn, het is hier geen peuterspeelzaal,' waren Marcels woorden, en daar heeft hij natuurlijk ook wel gelijk in.
Ze loopt de eetkamer in en knipt de grote lamp boven de tafel uit. Eigenlijk raar omdat het nu pas echt donker begint te worden. Maar het licht is zo fel. Wel heel handig trouwens als Kim wil knutselen, en ook bij het eten. Voor dat doel dus aangeschaft, want de eetkamer ligt op het noorden en het is er al snel duister.
Het is opeens een stuk gezelliger zo, bij het schijnsel van alleen de schemerlamp in de hoek.
Ze bedenkt dat ze vanmorgen precies dezelfde gang maakte, van ontbijttafel naar afwasmachine, alleen ging ze toen ook nog van wasmand naar wasmachine en van wasmachine naar droogtrommel. Haar dag was niet begonnen voordat alle apparaten draaiden, en nadat de machines hun werk hadden gedaan, de hele boel er weer uit halen en opruimen. Tussendoor Kim van de kleuterschool halen, laten spelen met een

vriendinnetje, boodschappen doen en koken. Lauren loopt nog de hele dag om haar heen. Als ze 's middags haar dutje doet, heeft Lena wat tijd voor zichzelf. En natuurlijk als die twee 's avonds in bed liggen, maar dan is ze eigenlijk zonder uitzondering bekaf.
Ja, er is wat veranderd in een paar jaar tijd. Haar leven is een verzorgend bestaan geworden en dat is een mooi en heel rijk gevoel, zoals haar moeder altijd zegt. En daar is ze het volledig mee eens. Soms is ze nog steeds verbaasd over de onbevattelijk grote, emotionele rijkdom. Dan kan ze het niet geloven dat die twee kanjers werkelijk van haar zijn, dat zij die op de wereld heeft weten te zetten.
Maar wie is ze zelf geworden, inmiddels? Ze is moeder nu en echtgenote, maar waar is de vrolijke, onbezorgde Lena van voor de geboorte van haar kinderen gebleven? De Lena die ze al dertig jaar zo goed kende en waar ze nu slechts een schim van herkent als ze ouderwets met een van haar vriendinnen op stap is. Ze moet niet zo zeuren, houdt ze zichzelf opnieuw voor. Ze heeft alles: twee schatten van kinderen, een fijn huis, een leuke man, een goede auto en een best nog uitgebreide vriendenkring. Gevoelsmatig in die volgorde, ja.
'Kom op, Leen, ga wat leuks doen,' hoort ze zichzelf hardop zeggen terwijl ze de afwasmachine aanzet. Ze grinnikt. Ha! Wat leuks. Boek lezen dan? Nee, daar heeft ze nu de rust niet voor. Ze schenkt een glas rode wijn in en steekt een sigaret op. Ook zoiets: een moeder die rookt.
Absoluut *not done*! Daarom doet ze het stiekem 's avonds of als ze met haar vriendinnen is. Haar vriendinnen die overigens allemaal werken, kroost of niet. Zij was er zeker van geweest dat ze ook zou blijven werken als haar kinderen er eenmaal waren. Maar na de geboorte van Kim, de oudste, bleek al snel dat dit vrijwel onmogelijk was. In de eerste plaats omdat haar gevoel schreeuwde dat ze deze baby nooit door een ander wilde laten verzorgen en ook omdat Marcel als succesvolle IT'er vaak onmogelijke uren maakte. Of was het andersom? Maakte ook niet uit, ze was gestopt en dat voelde het best.

Daar had ze geen spijt van, want het was anders een chaos geworden. De kritiek van de omgeving ten spijt. Echter, als ze wel was blijven werken, had ze ook kritiek gehad. Dus ook dat maakte niets uit.
Eigenlijk hoor je alleen over moeders die zich schuldig voelen dat ze blijven werken, en zij heeft het precies andersom. Ze vindt dat iedereen zijn of haar talenten moet benutten, dat je dat verplicht bent aan jezelf, en uiteindelijk ook aan je kinderen, want je bent toch hun voorbeeld. Deze fase gaat over, houdt ze zichzelf keer op keer voor, rustig nou maar: nog tijd genoeg.
Jawel, maar het leven is nu. Van gisteren weet je al alles, van morgen nog niks, het gaat om nu!
Ze loopt haar atelier in, naar de computer, even kijken of er e-mail is. Nee, niets. Zou ze nu dan eens gaan chatten? Gewoon even proberen? Ach nee, wat heeft ze te bespreken met mensen die ze niet kent. Ze wil de deur alweer uit lopen, maar draait zich om.
Ze heeft niets te verliezen ook. Ze gebruikt een schuilnaam, niemand weet wie ze is.
Ze logt in op een chatsite en tuurt naar het blauwe scherm. Ze moet een box kiezen, ze besluit tot 'serieus'. Dat kan natuurlijk helemaal geen kwaad. Hoe serieus zou het zijn? En welke naam zal ze eens kiezen? Ze twijfelt over Lucy; de Lucy Jordan die in de film *Thelma and Louise* zo meeslepend werd bezongen door Marianne Faithfull. Maar kordaat tikt ze Shirley. Naar Shirley Valentine, de andere film die in een prehistorisch verleden veel indruk op haar maakte als voorbeeld van hoe zij nooit zou worden.

Wahahaaahaaaaau en *kusssssssssssss*, ziet ze een paar keer op het scherm verschijnen.
Eh, waar gaat dit over?
Prinses>Heb ie gister nog tot diep in de nacht gechat rover?
Rover>ut was 3 uur vn8 prinses
Vn8? En ut en ie?

Duifje>hey rinus, hoest?

Rinus>ha duifje, heerlijk ff pr?

Hoest? Pr? Wat is dit voor een taal, wat betekent het allemaal?

Maria>jongens ik ga weer, cu!

Gnoompje>truste Maria kusssssssssss

Cu? Close-up? En weer dat kussssssss. Het intrigeert haar toch. Ze besluit ook wat te tikken.

Shirley>goedenavond allemaal, ziet ze voor zich verschijnen. Dat zijn haar letters! Ze moet erom lachen.

Hartendief>hi shirley

Dennis>hoi shirley

Gnoompje> hoi shirley

Goh, wat een vriendelijk welkom! Ze krijgt het er warm van. Ze kennen haar toch niet?

Dennis>ff pr shirley?

Ehm, ff is natuurlijk even, maar wat betekent pr?

Ze tikt terug:

Shirley>eh sorry, wat is pr? doe dit voor 't eerst

Mitch>welkom shirley, leuk!

Meisje>gewoon meedoen shir, je leert 't vanzelf

Dennis>pr is prive shirley

Privé?

Shirley>wat is prive dan?

Dennis>ff alleen wij 2 shirley, lekker samen kletsen

Shirley>waarover dan?

Gnoompje>haha, die shirley!

Tjonge, wat een aandacht voor haar persoontje!

Dennis>wat jij wilt shirley

Shirley>nou nog maar ff niet dennis

Ha, nou heeft zij ook gewoon ff getikt! Dat ze dit woord – nu ja, deze twee letters – nooit eerder heeft gebruikt, zal ze maar niet publiceren. Haar collega-chatters zouden zich ongetwijfeld afvragen uit welk ei zij zojuist is gekropen.

Dennis>kee dan shirley

Shirley>mag ik vragen wat 'hoest' betekent en 'cu'?

Ria46>hoest is hoe is het en cu is see you shirley
Mitch>hoe oud ben je shirley?
Ze besluit er zes jaar vanaf te halen.
Shirley>32 en jij mitch?
Gnoompie>heeeeyyyy vlinder kusssssssssss
Mitch>das ook toevallig, ik ben 34 shirley
Tss, wat een toeval.
Vlinder38>haiiiii gnoom kussssssssssss!
Opeens verandert het scherm. *Trucker39*, ziet ze boven aan het venster staan. De rest van de teksten is weg nu. Een leeg blauw scherm.
– *Hi shirley, stoor ik?* verschijnt er.
Huh? O, dit is zeker pr, privé dus. Ze is helemaal alleen met hem nu. Jee, wat zal ze zeggen?
Ook brutaal eigenlijk, ze voelt zich een beetje genomen.
Maar het voelt ook wel grappig. En ach, wat kan er gebeuren?
– *Nee hoor*, tikt ze daarom. Ze begint er schik in te krijgen.
– *Waar vandaan*, is de volgende vraag van *Trucker39*.
Eens kijken, waar zou ze vanavond kunnen wonen? Ze kan alles zeggen wat ze maar wil. Lol!
– *Tilburg*, tikt ze in.
– *Da's vlak bij mij*
O. Een Brabander aan de lijn dus. Tenminste, dat zegt hij.
– *Wat gezellig* antwoordt ze. Wat kan het schelen, dit is Shirley, niet Lena.
– *Jahaaa, kan nog heeeel gezellig worden ook hoor!*
Ja hoor. Nee, ze heeft er geen zin in ook. Geweldig gegeven om de hele wereld bij je binnen te laten komen, maar haar kopje thee is het niet. Tien uur, wijst haar horloge, ze gaat nu maar naar bed.
Ze klikt de pc uit, daarna de lampen in haar atelier, de eetkamer, keuken, woonkamer, speelkamer en vestibule. Tijdens de wandeling schiet haar een stuk te binnen dat ze vanmiddag las. Dat ging over oude klasgenoten die via internet opnieuw met elkaar in contact komen. Misschien moet ze dat eens proberen.

HOOFDSTUK 3

'Je méént 't. Leen, dat kan ik me bij jou helemaal niet voorstellen!'
Gwen kijkt haar verbaasd glimlachend aan. 'Zo'n chatbox? Hoewel ik me nauwelijks een leven zonder Hyves en Facebook voor kan stellen en zelfs pas sinds kort twexit ben, maar zomaar chatten met mensen van wie je werkelijk geen idee hebt wie ze zijn: nee...'
'Twexit?' vraagt Lena.
Gwen knikt: 'Ik twitterde me een versuffing. Stuurde de ene na de andere oneliner de ruimte in. Op het laatst was ik bijna nergens anders meer mee bezig, dacht alleen nog in *sweet tweets*. Ben er dus maar eens mee gestopt.' Haar verbaasde blik gaat over in een spottende. 'Ik heb het natuurlijk weleens geprobeerd, dat chatten, maar zag alleen maar curieuze teksten voorbijkomen.'
'Hebben jullie al een keuze gemaakt,' informeert het meisje met lichtblond geverfde dreadlocks bijna langer dan haar rok, en notitieblok in de aanslag.
'We hebben nog niet eens gekeken,' roept Gwen enthousiast.
'Doe maar kalm aan dan,' glimlacht het meisje.
'Eerst rustig een wijntje drinken, hoor, even afkicken, vind je niet. Pff, dit was een dag! We zitten met die fusie, hè, en dat is natuurlijk verre van leuk. Er moeten veel mensen uit en aan mij de eer om dat te vertellen. Je kent het wel. Nou ja, van vroeger dan.' Gwen neemt een slok wijn en leunt achterover. Meteen buigt ze weer naar voren en kijkt Lena serieus aan. 'Heb je er weleens aan gedacht om weer te gaan werken?

Volgens mij is dat het. Je verveelt je misschien en mist de contacten?' De blik lijkt meewarig te worden.
'Nee joh, ik heb het alleen een keer geprobeerd, uit nieuwsgierigheid. Maar het boeide me niet, ben dus meteen gestopt,' haast Lena zich te zeggen. Gwen hoeft echt niet te denken dat ze iets mist of zo.
'Ik vond het ook rare teksten,' voegt ze er ten overvloede aan toe. Als het maar duidelijk is.
De hoogste tijd om van onderwerp te veranderen. 'Ik schilder weer veel de laatste tijd. Werk momenteel alleen nog met acrylverf in combinatie met stiften. Dat geeft een mooi, schokkend effect en dat kwam goed uit bij mijn interpretatie van de aanslag op Koninginnedag.'
'De aanslag op Koninginnedag? O god ja zeg, verschrikkelijk. Maar heb je daarover geschilderd? Durf je dat? Dat wil ik heel graag zien. Daar ben ik wel jaloers op, hoor, jij kunt zo goed tekenen. Ik wou dat ik dat kon, lijkt me heerlijk!' Gwens glas is leeg en ze wenkt het meisje.
Lena vond het inderdaad een bizarre onderneming om zich op zo'n ramp te richten. Schilderen moet vooral mooi zijn in haar ogen. Inspirerend. Toch was het te belangrijk om zich niet hieraan te wagen.
'Graag nog twee sauvignon, we kijken zo naar de kaart, oké?' Het meisje glimlacht weer gedienstig.
'O, ik zie je al zitten 's ochtends in dat prachtige atelier van je, met al die grote ramen. En nu het lente begint te worden, lekker in het ochtendzonnetje: goud natuurlijk! Maar het is vast ook wel eenzaam, je ziet nog steeds geen andere mensen,' vervolgt Gwen weer ernstig.
'Och, daar heb ik ook niet zoveel behoefte meer aan, de kids zijn al druk genoeg met hun vriendinnetjes als ze thuis zijn. En dan heb ik natuurlijk nog veel contacten met de andere moeders.'
'Haha, ja, het gemuts op het schoolplein!' onderbreekt haar vriendin haar lachend. 'Sorry, ik maak maar een grapje, hoor. Je hebt het prima voor elkaar met Marcel en je bloedjes. Dat

heb ik allemaal weer niet. De laatste tijd vraag ik me steeds vaker af of ik dat ook wel zou willen, eigenlijk. Geen gezeur aan mijn hoofd. Hoef me aan niets of niemand aan te passen. Noem het oppervlakkig, ik vind het heerlijk.'
'Zie jij Victor eigenlijk nog weleens?' kan Lena niet laten te vragen.
Gwen kijkt haar fronsend aan. 'Vic? Nee, in geen eeuwen meer gezien. De laatste keer was met jou, op het feestje van dat reclamebureau, dat nu alweer ter ziele is. Kom, hoe heette dat ook weer. Nou ja, toen hij jou weer zo oeverloos achternazat aan het eind van de avond, weet je nog?'
Ja, natuurlijk weet ze dat nog. Het irriteert haar mateloos dat hij haar getrouwde staat altijd volkomen negeert. Ze had hem die keer ook goed de waarheid gezegd.
'Goh, dat is alweer een jaar geleden of zo,' antwoordt ze achteloos.
'Niemand hoort ooit meer iets van hem, geloof ik,' gaat haar vriendin door, 'hij is nog even vaag bezig als altijd, neem ik aan, als een eendagsvlieg die zijn dag niet heeft, zeg maar. Maar vanwaar opeens die interesse?' Gwens ogen worden nog groter dan ze al waren. 'Denk je dan nog steeds aan hem, nee toch?'
'Nee zeg, ben je gek. Hij schoot opeens door mijn gedachten, meer niet,' lacht Lena.
'Trouwens, over feestjes gesproken, volgende week vrijdag viert 'Ad Now' het tienjarig bestaan. Schijnt een geweldige partij te worden. Heb je zin om met me mee te gaan, zie je iedereen van vroeger weer eens.'
Lena aarzelt. Het klinkt aanlokkelijk, het lijkt haar erg leuk om iedereen uit het wereldje weer eens tegen te komen. Aan de andere kant krijgt ze dan al die vragen weer waarom ze in vredesnaam gestopt is met werken en ze voelt zich altijd zo'n muts als ze dat uit probeert te leggen. Eigenlijk heeft ze definitief afscheid genomen van haar vroegere bestaan. Ze neemt een slok, kom op, niet zo zeuren. Een feestje is natuurlijk altijd leuk en het zou een welkome afleiding kunnen zijn.

'Ja, lijkt me enig, ik heb wel zin in 'n feestje,' antwoordt ze opgewekt.
Er worden weer twee volle glazen op de tafel neergezet. Gretig pakt Gwen haar glas en neemt een grote slok. De helderblauwe ogen stralen in haar licht zonnebankgetinte gezicht, dat prachtig afsteekt bij haar hoogblonde, korte haar. Ze is een plaatje. Lena zou haar zoals ze nu tegenover haar zit graag eens willen schilderen. Weer met acryl; dat felle blauw van haar ogen lekker accentueren.
'Hé, daar heb je Dries,' zegt Gwen, terwijl ze uitbundig wuift naar de lange, blonde man die net binnenkomt. Hij zwaait terug en gaat bij de bar staan.
'Dat ís een lekker ding!' vervolgt ze geheimzinnig glimlachend. Vertrouwelijk buigt ze zich iets dichter naar Lena toe. 'Niet verder vertellen, maar ik heb vorige week een wel heel spannende ontmoeting met hem gehad. Het enige nadeel was dat hij midden in de nacht weer naar huis toe moest. Ja, ook getrouwd hè, en met vier kinderen. Dus dan weet je het wel!' fluistert ze samenzweerderig. 'O nee, dat weet je natuurlijk niet,' voegt ze er verontschuldigend aan toe.
'Heb je het wel mét gedaan?' is het enige wat Lena weet te zeggen.
'Nee, stom hè, dat kwam er niet van. En ik zat goed in mijn cyclus. Daarbij is hij getrouwd, dus zo'n vaart zal het wel niet lopen met de ziektes.'
'Maar hij doet het ook met jou, ik zou toch wat voorzichtiger zijn, hoor.' Ze voelt zich een moeder-overste, maar het was eruit voor ze er erg in had.
'Lieve, netjes getrouwde Lena, altijd keurig en serieus. Je hebt natuurlijk wel gelijk,' antwoordt haar vriendin.
'Ja amen!' lacht ze en ze slaat de kaart open. 'Kom op, Gwen, we gaan wat uitzoeken, zometeen staat die dreadlock weer hier aan tafel.'
Ze kiezen beiden een biefstuk. Alleen een hoofdgerecht. Voor- en nagerecht komen in verband met de rücksichtsloze observaties van de weegschaal niet aan de orde.

'Weet je wie ik laatst trouwens geheel onverwacht tegenkwam?' zegt Gwen terwijl ze een hap in haar mond steekt. 'Pieter! En weet je waar? In het bos, *of all places*!'
'Hoe ging het met hem?' De biefstuk is iets te gaar, maar die spoelt ze met de wijn wel weg.
'Geen idee!' Gwen verslikt zich. Na een hoestbui en nog wat slokken wijn vervolgt ze met geknepen stem: 'Het gekke is, ik kom nooit in dat bos. En nu, de zon scheen volop en ik reed terug van de garage in een huurauto. Zo'n luxebak; zeer deca. Ik dacht, met zulk mooi weer pak ik de natuurroute. Alvast wat lentesferen proeven.'
Ze neemt een pauze om goed adem te halen.
'Een jogger in felrode outfit kwam me tegemoet. Pas op het moment dat hij mij passeerde, herkende ik Pieter. In een impuls draaide ik de auto en ging naast hem rijden. Liet het raampje naar beneden zakken. 'Hoi, hoe gaat het?' vroeg ik. Hij zei niets, rende gewoon door. Ik bleef ernaast rijden, in afwachting van wat hij ging zeggen. Het leek wel een C-film! 'Ik ben aan het lopen,' was het enige wat er uiteindelijk toch nog uit kwam. 'Ja, dat zie ik, maar kun je niet twee tellen stoppen?' Hij keek me kort aan, keek vervolgens weer strak voor zich uit en bleef stoïcijns in hetzelfde tempo doorrennen. Zonder nog iets te zeggen. Toen ben ik doorgereden. Duh, daar heb ik dan drie jaar mee samengewoond! En weet je wat nog het meest rare was, bedacht ik me later: een halfjaar geleden kwam ik hem tegen op een feest. Hij zal wel weer dronken of aan de pretpilletjes zijn geweest, want hij zat eindeloos tegen me aan te jeremiëren, op zijn manier heel serieus, dat we beslist opnieuw moesten beginnen. Zonder alcohol en in een bos, zei hij. Ik vond dat zo'n vreemd verhaal! Heb hem dan ook midden in zijn gezicht uitgelachen over zoveel stompzinnigheid; alcohol en een bos, hoe verzon hij het! En nu, een halfjaar later: het bos was er, wij waren er, geen drank, en: niks *hello*, maar superbot *goodbye*!'
Dat bos, dat geeft Pieter toch iets moois, bedenkt Lena. Ze is dol op het bos, hoeveel uren heeft ze daar als kind wel niet

doorgebracht, aan de hand van haar opa.
'Wat moet ik hier nu weer van leren, dacht ik.' Gwen kijkt haar afwachtend aan.
Lena haalt glimlachend haar schouders op. Wat moet ze zeggen? Ze heeft die Pieter altijd een vaag type gevonden, met of zonder bos.
'Het enige wat ik ervan kan leren, is dat het definitief afgelopen is, gok ik,' beantwoordt Gwen haar eigen vraag cynisch. Lena meent iets van teleurstelling in haar ogen te zien.
'Goedenavond dames, bezwaar als ik er even bij kom zitten?' Dries staat met een glas bier naast hun tafeltje.
'Tuurlijk niet, ga zitten!' roept Gwen joviaal. De teleurstelling heeft op slag plaatsgemaakt voor enthousiasme. Gwen stelt Dries aan haar voor.
'Aangenaam,' zegt hij vormelijk terwijl hij Lena's hand schudt. Hij richt zich onmiddellijk weer tot Gwen.
'Ben je nog goed thuisgekomen laatst?' informeert ze met een ondeugend lachje.
'Ja, ik ben prima thuisgekomen, hoor.' Er verschijnt een twinkeling in zijn bruine ogen. Hij is heel aantrekkelijk, met dat blonde haar, die bruine ogen en innemende glimlach. Ze begrijpt Gwen wel, ook al is hij dan getrouwd.
Bij de koffie bestelt Gwen een calvados en zij een kahlua. De calvados lijkt behoorlijk aan te slaan. Gwen flirt erop los met Dries, die er zichtbaar van geniet.
Het wordt tijd om eens naar huis te gaan. Lena begint de drankjes nu ook te voelen en ze moet nog rijden. Gwen hangt inmiddels om Dries heen en drukt zich dicht tegen hem aan.
'Ga je zo nog even mee?' ziet Lena haar vriendin met een verleidelijke blik vragen.
Hij schudt echter zijn hoofd. 'Nee, sorry, kan niet,' antwoordt hij lachend.
'Neehee? Kan niet? Nou, Dries, volgens mij kun jij altijd wel!' zet Gwen snedig in.
Haar hand ligt op zijn been en maakt strelende bewegingen naar boven.

Lena wil dat haar vriendin hiermee ophoudt. Ze geneert zich een beetje voor haar gedrag.
'Nee joh, echt niet, sorry.' Dries staat op. 'Ik moet nu gaan, ik zie je weer.'
Lena krijgt opnieuw een hand.
Gwen is er ook bij gaan staan en slaat haar armen om zijn schouders. Ze kust zijn hals.
Dries wordt verlegen met de situatie en probeert haar voorzichtig van zich af te duwen.
Hij geeft een kusje dat boven haar oor belandt en wil weglopen, maar Gwen houdt hem tegen. Als een klein kind hangt ze jengelend aan zijn arm, maar in een mum van tijd heeft hij zich losgerukt en vlucht de deur uit.
Met een verslagen gezicht gaat Gwen weer zitten. 'Tja, zo gaat dat met onenightstands, dat weet je eigenlijk van tevoren.' Ogenblikkelijk weet ze een glimlach op haar prachtige gezicht tevoorschijn te toveren.
Lena roept het meisje voor de rekening. De kroeg voelt ineens als een te groot, koud, verwaarloosd badhuis, zoals dat vroeger bestaan moet hebben. Ze wil nu alleen nog maar heel rap naar huis en in de auto fijn nadenken over wat ze in godsnaam aan moet naar dat feestje.

HOOFDSTUK 4

Lena neemt een slok groene thee en leunt achterover in de deckchair die ze vorig jaar voor Moederdag kreeg. Marcel gaf er meteen maar twee. Beetje groot cadeau, zei hij erbij, maar dat had ze dan ook wel verdiend. Lena had schertsend opgemerkt dat de enige reden van dit grootse gebaar was dat hij er op deze manier zelf ook wat aan had, waarop hij lachend boven op haar sprong en ze samen terug op het bed vielen. Kraaiend van plezier zagen Kim en Lauren hun kans schoon om het bed van papa en mama eindelijk als trampoline te gebruiken.

Verbeeldt ze het zich, of hadden ze toen veel meer plezier dan nu? Wanneer hebben Marcel en zij eigenlijk voor het laatst voluit gelachen? Zoals vroeger, toen ze om helemaal niets van de bank af konden rollen, slap van de lach. Een oogopslag of een op bepaalde toon uitgesproken woord, dat bij beiden dezelfde associatie opriep, was toen al genoeg.

Ze kan het zich niet herinneren. Zou die Moederdag werkelijk de laatste keer geweest zijn?

Nog een slokje. Ze vindt deze compleet verantwoorde thee niet echt lekker, maar ze kikkert er altijd wel van op. Ze bekijkt haar moederdaggeschenk van twee jaar geleden. Halfvijf; over een halfuur moet ze Kim bij een vriendinnetje en Lauren bij oma ophalen. Elke keer als ze deze klassieke Cartier bekijkt, wordt ze opnieuw geraakt door de totale schoonheid van het klokje. Dit horloge gaat nooit vervelen. Trouwens, over groot cadeau gesproken. Een vlinder stijgt vanuit haar buik op om via haar middenrif in haar hals te landen. Ze rilt. Wat een ongelooflijke lieverd is Marcel eigenlijk, ze moet beslist leuker en vooral liever voor hem worden.

Hm, nog heel even languit. Hemels, dit prille voorjaarszonnetje, dat zo aan het eind van de middag al een behoorlijke kracht heeft. De vogels fluiten alsof ze met elkaar in competitie zijn. Verder is het helemaal stil. Dit is wat ze altijd al zo heerlijk vond aan Bloemendaal. De rust. De aanwezigheid van strand, duinen en bos, en zo lekker centraal gelegen. Met een kwartier ben je in Amsterdam. Binnen vijf minuten in Haarlem. Daarom wist ze van kleins af aan al zeker dat ze hier nooit weg zou willen. Die overtuiging heeft sinds de geboorte van haar kinderen plaatsgemaakt voor twijfel. Natuurlijk had ze altijd wel gehoord over de afstandelijkheid waar met name de niet onbemiddelde bewoners generaliserend mee getypeerd werden. Maar ze had eigenlijk nooit goed begrepen wat daarmee werd bedoeld.
Tot de kinderen kwamen, en vooral vanaf het moment dat Kim naar groep een ging, was dat plotsklaps duidelijk geworden. Marcel en zij vonden het, net zoals iedere rechtgeaarde ouder natuurlijk, belangrijk dat hun kinderen naar een goede school zouden gaan. En zij hadden dan ook maar meteen voor de duurste gekozen. Daar zat vermoedelijk de fout. Dat hadden ze achteraf gezien beter niet kunnen doen, want ze had geen idee gehad van de codes die daaraan verbonden waren. Eigenlijk was zij sowieso onvoorbereid, zo niet onbezonnen, aan haar nieuwe taken begonnen.
Maar kun je je daarop ooit goed voorbereiden? Je weet immers niet wat je te wachten staat, wat het zal inhouden; de soms best beklemmende verantwoordelijkheid voor zo'n totaal van jou afhankelijk baby'tje, dat het mooiste en liefste is, en het geheel veranderde bestaan waarin alles draait om de drie R's. Rust, Reinheid en Regelmaat. Dr. Spock schreef het al in zijn boek, dat ze van haar schoonmoeder cadeau gekregen had. Maar los van deze uit het midden van de vorige eeuw gedicteerde wijsheid, voelde ze dat zelf precies zo.

Toen Kim naar school ging, viel het haar op dat het allemaal wat gemakkelijker werd. Ze kreeg meer bewegingsvrijheid, hoewel Lauren natuurlijk nog wel de hele dag bij haar was. Ze genoot van de gesprekken die ze inmiddels met Kim kon voeren over vriendinnetjes, over de juffen.
Het is hoe dan ook fascinerend om te zien hoe zo'n kleintje zich vele nieuwe dingen in korte tijd eigen weet te maken. Maar dan krijg je weer te maken met heel andere zaken, zoals het maatschappelijke leven op school.
Vroeger had ze in haar werk natuurlijk al met hiërarchie te maken gehad, maar de overtreffende trap daarvan lijkt toch tussen sommige moeders op het schoolplein te liggen.
Zo prestatiegericht bezig met hun vak: moeder en goede huisvrouw zijn van een man die het maatschappelijk voortreffelijk doet.
De moeders die de dag beginnen met elkaar juichend op het schoolplein te begroeten: 'ons kent ons'. Die stilzwijgend verenigd lijken te zijn in Het Moederschapverbond. Uren lijken ze te kunnen kletsen over tennistoernooien of wie de kinderen naar hockey brengt, of: 'kind, ik heb gisteren een goeie jas gekocht op de P.C. Hooft!' Hockey, als je vier bent? O nee, dat geldt vast de oudere broers of zussen.
Kinderpartijtjes worden uit-en-te-na besproken en het lijkt van levensbelang te zijn wie het origineelste feestje weet te organiseren, waarbij kosten noch moeite worden gespaard. Toen ze Kim van de week naar een partijtje bracht, deed de moeder verkleed als elf open. De in punten geknipte, felroze glimmende minirok reikte tot net halverwege haar forse, witsatijnen dijen. Zilveren ballerina's eronder. Het van de opwinding rood aangelopen gezicht met felroze gestifte lippen, en een fonkelende kroon in de geblondeerde krullen, completeerden het beeld aan de bovenkant. Achter haar doemde papa-elf op. Een formele bankman, met modern soort ziekenfondsbrilletje. Jolig stelde hij zich voor als Philip.
Na afloop vertelde haar dochtertje geestdriftig dat de hele achtertuin als sprookjesbos was ingericht, inclusief ingehuur-

de elfjes, kabouters en sprookjesfeeën, die aan het einde van de middag de mooiste presentjes tevoorschijn toverden voor de jonge gasten.
Kim komt trouwens steevast met een zakje vol attenties thuis als ze naar een partijtje is geweest, terwijl zij niet jarig is. De traktaties in de klas lijken niet voor de kinderen gemaakt, maar voor de moeders onderling.
Lena lijkt vooralsnog de enige te zijn die zich hierover verwondert, dus houdt ze haar mond. Ze kijkt wel uit, zeg, om iets van kritiek op de overenthousiaste moeders te leveren.
En als het niet over de feestjes gaat, dan wordt met een fanatisme dat zijn weerga niet kent het wel en wee van de kinderen op school besproken. Wie rijdt hen naar dit of dat uitstapje, wie gaat knutselen op school en wie is overblijf-, speel- of voorleesmoeder. Natuurlijk zijn niet alle moeders zo, maar degenen die elke dag prominent op het schoolplein aanwezig zijn in ieder geval wel. En die ziet ze nou eenmaal het vaakst. De meesten hebben nog een au pair ook.
Misschien is ze er gewoon jaloers op, wie weet zou ze diep in haar hart zelf ook wel zo willen zijn.
Nu ja, in geen enkel opzicht zoals de moederelf, natuurlijk, maar het zou alles in ieder geval een stuk gemakkelijker maken, en het zou haar een boel schuldgevoel besparen als ze toch wat meer in de buurt kon komen. Eigenlijk zou zij ook veel meer moeten doen dan alleen het tweewekelijkse voorleeshalfuurtje. Maar als ze zeer actief op school bezig had willen zijn, was ze het onderwijs wel in gegaan.
Het is zo totaal anders dan het leven dat ze gewend was. Ze mist de collega's met wie ze altijd over van alles en nog wat kon praten, en lachen ook.
Op het schoolplein weet ze voor het eerst in haar leven geen onderwerpen te vinden en staat ze geregeld met een mond vol echte, niet-gebleekte, dus minder witte tanden dan de anderen.
Ze zou natuurlijk een job kunnen nemen ergens, maar die zou in geen verhouding staan tot het werk dat ze vroeger deed. Ze

zou zich gaan vervelen in zo'n parttimebaantje. Bovendien moest Lauren dan naar de crèche en daar voelt ze helemaal niets voor. Lauren verzorgd door steeds wisselende handen, die niet van haar houden? De twijfel tussen boeiend en belangrijk groeit evenwel per dag. De voldoening als een project weer goed was afgerond, het soms bitterharde gezwoeg dat daaraan vooraf was gegaan op de meest onmogelijke uren; ze had er met volle teugen van genoten en kon haar energie er volledig in kwijt. En daar werd ze dan nog voor betaald ook. Nu werkt ze ook hard, harder dan ze ooit had gedaan en in continudienst, zo voelt dat vaak, alleen de voldoening is anders, of beter gezegd: is er niet. Die komt natuurlijk wel, ooit, maar op een veel langere termijn, de snelle kick van vroeger ontbreekt. En soms is de snelle kick lekker, zo niet onontbeerlijk, om lol te houden in de dingen die je doet. Zorgen dat de afwas, de kleren en het huis weer schoon zijn, bezorgt haar geen enkele genoegdoening; de volgende dag begint het hele ritueel gewoon opnieuw.
O ja, en dan de manier waarop de kleding van andermans kinderen bekeken, bewonderd, en dus ook stilzwijgend afgekeurd wordt. De blikken die onderling worden uitgewisseld! Natuurlijk ook weer niet door iedereen, maar het groepje moeders dat altijd nadrukkelijk aanwezig is, heeft unaniem dezelfde houding. Dezelfde code dus, waarop ze elkaar ook stilzwijgend accepteren. Zonder code geen acceptatie. Tolerantie heet het dan.
Van de weeromstuit is ze voor het eerst van haar leven bijna dagelijks gaan strijken. En ja, dan ook maar dure merken kopen. Want Kim mag vooral niet buiten de boot vallen. Het is behoorlijk wennen, en vermoedelijk went het nooit.

Vijf uur. Ze moet nu echt de kinderen op gaan halen. Eerst haar mobiel checken.
Een nieuw bericht.
Stress. Blijf dag langer. Bel vanavond. Luv you M.
Nee hè, Marcel komt vanavond dus weer niet thuis. Ze had

juist gehoopt dat hij de kinderen in bad en in bed zou doen. Ze wil er vanavond uit. Even bij Mireille langs, vragen naar de uitslag van haar uitstrijkje waar ze zich zo'n zorgen over maakte. Nu ja, dan zou ze wel bellen, dat kan natuurlijk ook. En dan daarna misschien eens die klasgenotentoestand googelen.

HOOFDSTUK 5

'Hoi Mireille, hoe gaat 't?'
'Hé Lena!' klinkt het vrolijk. De uitslag was dus goed. Lena hoort altijd alles aan de stem van haar vriendin. Het maakt het een stuk gemakkelijker om naar de diagnose te informeren.
'Ik dacht, even vragen hoe het met je onderzoek is afgelopen.'
'Lief van je. Gisteren hoorde ik het. Alles prima! Ik was zo opgelucht, want ik wist bijna zeker dat het fout zat. Werd eergisteren namelijk weer ongesteld. Alweer na twee weken, het lijkt wel alsof ik de laatste maanden met niets anders bezig ben. De arts zegt dat het waarschijnlijk een voorbode is van de menopauze.'
'Hè gelukkig! Maar overgang, nu al?'
'Ja. Kan hè, we zijn tenslotte al achtendertig. 't Betekent overigens niet dat ik er al in zit, alleen is 't waarschijnlijk wel een begin van de periode daar naartoe, en dat kan nog een groot aantal jaren duren, zei hij.'
'Tjonge, ja, we worden oud, hè, het gaat wel hard nu opeens, zo richting veertig.'
Lena moet er niet aan denken dat het realiteit zou worden. Niet nu al, ze wil nog zoveel. Overgang betekent uit-drogen en dikker worden, is haar overtuiging, ze zou er in ieder geval niet aantrekkelijker op worden. Het is iets voor vrouwen van middelbare leeftijd en dat is ze nog lang niet. Ze voelt een onbedwingbare drang om heftig en schaamteloos te flirten in zich opkomen. Nu kan het nog – nog even en niemand zou meer van haar flirts gediend zijn. Ze moet snel maar weer

eens op stap. Van het leven en de aandacht genieten, zolang het nog kan.
'Zullen we wat afspreken, weer eens ouderwets gaan happen en stappen?'
'Nou, Leen, voorlopig zit het er niet in. Ik ben zo ontzettend druk overdag met die drie kleintjes en ik ga ook weer werken. Volgende week begin ik. Ik ben nu 's avonds altijd al hondsmoe en dan straks met het werk er nog bij... En eigenlijk heb ik er ook niet zo'n behoefte meer aan, hoor, om nog in de kroeg te hangen. Al die leuterverhalen, die tijd heb ik wel gehad. Vind het erg gezellig om thuis te zijn. Lekker wat aankneuteren met Marco, we zien elkaar al zo weinig.'
Hm, ook Mireille begint dus bij de club van intens tevreden huismoeders te horen. Waarom heeft zij dat toch helemaal niet?
'Ga je weer werken, Mireille? Leuk! Wat ga je doen?'
'Weer in het ziekenhuis. Parttime op de kraamafdeling, dat lijkt me heel gezellig. En het zou voor ons financieel ook goed uitkomen als ik wat verdien. Alles is zo duur geworden; we willen natuurlijk wel op vakantie en de kinderen zitten op allerlei clubjes die handenvol geld kosten. Heb jij daar eigenlijk helemaal geen last van?'
Nee, maar dat kan ze natuurlijk niet zeggen. Marcel verdient genoeg. Daar werkt hij ook hard voor, en dat vindt hij leuk. 'Mijn werk is mijn hobby', luidt zijn motto.
'Natuurlijk wel.' Ze wil beslist niet welgestelder overkomen dan haar vriendin. Het defensieve gevoel heeft haar wederom gevangen. Op het schoolplein moet ze zich verdedigen dat ze geen hyperactief deelnemende schoolmoeder is en dat ze ook nog dingen voor zichzelf wil doen, en bij haar vriendinnen voelt ze zich altijd gedwongen te verdedigen dat ze niet werkt. Althans niet betaald werkt. Nu zelfs dus ook al bij Mireille. Inmiddels zou ze het gehele Ministerie van Defensie zelfstandig kunnen aansturen.
'Ja joh, ik denk daar ook vaak over, het zou ons financieel natuurlijk ook goed uitkomen als ik weer zou gaan werken.'

Tjonge, wat kan ze liegen, en dat tegen een vriendin!
'Maar voor mij is het wat moeilijker: als ik mijn oude werk op zou pakken, wordt het weer zo'n zootje hier thuis met al die onregelmatige tijden. En dat in combinatie met de onmogelijke uren die Marcel maakt, nee, eigenlijk zie ik het voorlopig nog niet gebeuren.'
Zo. De standaardzin wederom gebezigd. Voor de tweehonderd miljoenste keer inmiddels. Zonder erbij na te hoeven denken perst ze die er zo weer uit.
'Ik ben tegenwoordig weer veel aan het schilderen en heb misschien kans op een expositie hier in de galerie in het centrum.'
'Echt? Tjee, wat leuk, Leen! Hoe kom je daar nu aan?'
'Nou, het is allemaal nog niet zeker, hoor. Ik kwam Reinier laatst tegen, je weet wel, dé Reinier van vroeger, die zo goed tekende.'
'Jaja, de Reinier, hoe zouden we die ooit kunnen vergeten,' lacht haar vriendin nu. 'Hoe is het met hem? Is het nog altijd zo'n enorme hunk?'
'Ja, het gaat hem goed, geloof ik. Hij is wel wat ouder geworden, net als wij, natuurlijk, maar van jezelf zie je dat niet zo, hè. Sinds een paar jaar heeft hij een galerie, hier in het centrum. Daar exposeert hij voornamelijk regionale kunst. Ik vertelde hem dat ik tegenwoordig weer veel aan het schilderen ben en hij was benieuwd naar mijn werk. Hij zei dat als mijn werk nog steeds zo goed is als vroeger, hij mij misschien wil hebben. Over twee weken komt hij hier kijken.' Terwijl ze het zegt, voelt ze haar maag samentrekken. Stel je toch voor dat het gaat lukken: een expositie!
'Wauw, klinkt fantastisch, zeg. Reinier was altijd al gecharmeerd van je, dus dat zit wel goed, denk ik. Goh, ik wou dat ik zoiets kon. Jij kon zo mooi tekenen en schilderen, daar was ik altijd een beetje jaloers op.'
Lena kan zich niet onttrekken aan het idee dat dit kennelijk de standaardzin van haar vriendinnen voor haar geworden is. Kom, niet toegeven aan haar onzekerheid.

'Ja, maar jij bent veel socialer dan ik, Mirei, wat jij doet in de verpleging, dat zou ik nooit kunnen. Dat vind ik zo knap!'
'Och, ik vind het gewoon heerlijk om met mensen bezig te zijn en ze nog te kunnen helpen ook. Een zeer bevoorrecht vak, het zou alleen wat beter kunnen betalen.'
Daar is Lena het totaal mee eens, maar ze heeft geen zin om nu weer dit gesprek aan te gaan. In het verleden hebben ze dit al zo vaak besproken. 'Je hebt helemaal gelijk. Hoe is het trouwens verder, alles goed met Marco?'
Er klinkt een zucht aan de andere kant van de lijn. 'Ja, met Marco gaat het goed en tussen ons ook. Het enige wat er nog steeds niet echt in zit, is de seks. Ik kan me er niet toe zetten, probeer het natuurlijk wel, maar het lukt me gewoon niet. En Marco heeft het daar erg moeilijk mee, dat is eigenlijk het enige waar we nog geregeld ruzie over hebben. Maar goed, als dat alles is, dan valt het nog wel mee, niet?'
Tja, wat zou ze eens zeggen? Ze snapt helemaal niet hoe dat kan, samenleven zonder seks. Toch staat het bij haar en Marcel ook allang niet meer boven aan het lijstje. Zou ze daarom de laatste tijd fantaseren over activiteiten buiten de deur?
'Er zijn zoveel andere dingen, belangrijker dan seks.'
'Kijk, dat vind ik nou ook, maar Marco denkt er toch anders over. Hij blijft natuurlijk een man, haha!'
Lena lacht wat mee.
'Alle mannen zijn hetzelfde, altijd alleen maar seks, seks, seks. Als ik hem heel af en toe toch zijn gang laat gaan, loopt hij weer een hele week met zo'n glimlach om zijn mond. Brr, ik walg van die blik! Dat ken je wel, hè?' weidt Mireille nog meer uit.
Nee, dat kent ze niet, maar moet ze dat dan zeggen? Ze herinnert het zich wel van de periode vlak na de geboortes van de kinderen, en dat is alweer zo lang geleden.
'Zeg, Mirei, waar gaan jullie eigenlijk naartoe deze zomer?'
'We hebben een huisje gehuurd in een vakantiepark in Limburg. Dat is helemaal leuk voor de kinderen. En als de

kinderen het naar hun zin hebben, dan hebben wij dat ook. Wij amuseren ons wel, hoor!'
Ah ja, natuurlijk. Lena krijgt kippenvel bij de gedachte aan twee weken vakantiepark. Twee weken!
Ze had het met Marcel en de kinderen vorig jaar een weekend geprobeerd, en toen meteen besloten dat het de laatste keer was geweest.
'O leuk.' Ze hoopt dat het enthousiast klinkt.
'Ja, we hebben er erg veel zin in. Jullie gaan zeker het land uit?'
'Weer naar Spanje. Naar dezelfde plek, leuk voor de kinderen en ook voor ons.'
'Hè lekker. Wat zeg je, Marco? O, Leen, sorry, ik moet ophangen. Marco komt net binnenlopen en hij moet dringend bellen...'
Dat kan toch ook op zijn mobiel?

Ze maakt het zich gezellig met twee brandende kaarsen op haar bureau. Alleen de kleine schemerlamp aan, dat geeft een fijn, intiem sfeertje. De hoge ramen die overdag het atelier zo licht en vrolijk maken, zorgen er nu juist voor dat alles om haar heen pikkedonker is. Alsof ze in een gedempt verlicht aquarium zit. De openingsdeun van de computer schalt door het atelier. Schoolbank.nl; daar moet ze naartoe volgens Google. Zonder inloggen geen toegang. Dat is nou weer jammer. Moet ze zich kenbaar maken? Geen haar op haar hoofd, de kans is minimaal dat er bekenden van haar bij staan. Bovendien, men zou eens kunnen denken dat ze iets mist in haar leven nu, en dat ze zich daarom pathetisch wendt tot contacten uit een ver verleden. Ze is nog geen tachtig, ze gaat nog niet terug in de tijd. Ze vult Shirley Valens in, Valentine is natuurlijk te duidelijk fake. En haar hotmailadres dat ze al eerder had aangemaakt om eens te gaan chatten. Wist zij veel dat dat helemaal niet nodig was voor een chat. Evenwel, nu komt het uitstekend van pas. Wel het goede geboortejaar, anders heeft het geen zin. En natuurlijk de goede school.

Stiekeme voyeur dat ze is. Ai, via de mail die nu naar haar hotmailadres is gestuurd, moet ze de boel activeren. Wat een gedoe nog. Maar logisch ook, anders kan iedereen zomaar van alles invullen. Hoewel, wat doet zij nu dan? Het systeem is goedbedoeld, maar dus niet waterdicht. Ah nee, het gaat natuurlijk niet om privacy, uitsluitend om commercie. Marketing. *What's new?*
Kijk nou eens even, minstens vijftien bekende namen ziet ze daar meteen al staan.
Grinnikend gaat ze het rijtje af. Dat is de zesde klas van haar lagere school. Sommigen hebben een persoonlijke tekst bijgevoegd. Als ze de gehele tekst wil lezen, moet ze lid worden en daar heeft ze geen zin in. Hé! Paul de Jong staat erbij! Hoe is dat nou mogelijk? De bink van de zesde klas, op wie iedereen verliefd was. Zij dus ook, en niet zo'n heel klein beetje. Haar idool was hij, en volledig onbereikbaar. Ze ziet weer voor zich hoe hij in het zwembad haar bikinibroekje naar beneden wilde trekken, hoe verschrikkelijk eng ze dat vond. Eenmaal veilig op de kant, nadat ze zich ogenblikkelijk het water uit had gespoed, voelde ze zich vooral verschrikkelijk gevleid. Ze lacht hardop bij de herinnering. Ze kán hem een bericht sturen nu. Hij heeft zich niet voor niets hier opgegeven; hij staat ervoor open. Zomaar een teken van leven, alleen voor de gezelligheid. Zoiets van: hoe gaat het met jóu?! Ze is getrouwd, het kan gemakkelijk. Dan realiseert ze zich dat hij natuurlijk nooit van Shirley Valens gehoord heeft. Opnieuw inloggen dus en nu onder haar eigen naam, ook niet met hotmailadres, nee, alles echt. Wat maakt het ook uit, ze is immers een oude bekende van hem? Vermoedelijk vindt hij het ook wel leuk, zo'n *it was twenty-six years ago today*-praatje.
Nee, een persoonlijk bericht is niet mogelijk, want ook dan moet ze lid worden. Een gratis kattebelletje kan wel. Er wordt een aantal opties gegeven om het bericht mee te versturen.
Ze vinkt 'laat eens wat van je horen' aan en drukt op 'ver-

zenden'. 'Je mail is verzonden', ziet ze nu verschijnen. Ha! Paul de Jong heeft zojuist een bericht van haar ontvangen. Wat een grappig idee!

HOOFDSTUK 6

Shit.
Ze heeft geen aansluiting meer, maar dan ook werkelijk helemaal nergens meer, lijkt het.
Ja, bij de groenteman, alleen is die natuurlijk blijer met haar klandizie dan met haar.
Te hard gooit ze de antieke keukenkast open en pakt er een nieuw pak koffie en een beker voor Lauren uit. Oei, dat ging nog net goed. De kast staat wat na te zuchten, maar de scharnieren blijken gelukkig nog intact.
Ze behoort al jaren niet meer tot de *dinky's*, ze is nog veel langer geen wervelende *yup* meer, en ze behoort ook niet echt tot 'de moeders'. Althans niet tot Het Moederschapsverbond op het schoolplein, dat was zojuist weer overduidelijk nadat ze Kim in de klas had afgezet. Buiten stond het groepje luidkeels met elkaar te kletsen. Opgewekt had ze hun goedemorgen gewenst, echter geen van de dames had zich verwaardigd iets terug te zeggen. Ze hadden haar zeker wel gehoord, dat kon niet anders, maar ze waren veel te druk met elkaar. Alleen de moederelf van het partijtje droeg een regenjas, de rest was in sporttenue. Eén stond te stralen in een even beeldige als onbetaalbare lavendelblauwe joggingoutfit met hagelwit, strak gestreken shirt daaronder. Twee waren er in tenniskleding en er stond ook een hockeyster bij. De rackets en de stick ontbraken nog net. Eigenlijk vormden zij de harde kern van het verbond, het waren er dus slechts vijf.
Absurd dat vijf vrouwen een heel schoolplein wisten te vullen, bedacht Lena terwijl ze als een bastaard met de staart tussen

de poten van het schoolplein was afgedropen.
Ook wel buitengewoon knap eigenlijk.

Ze geeft Lauren de beker limonade en gooit wat koffie in het filterzakje. Ze moet nou toch eens zo'n espressoapparaat kopen. Die cups zijn niet alleen veel lekkerder, ook veel gemakkelijker.
En haar vrijgezelle vriendinnen laten, gelukkig op Gwen na dan, al tijden niets meer van zich horen. Logisch ook, natuurlijk, hun levens zijn zo anders. Ergens faalt ze op een onovertroffen manier.
Het liefst wil ze voor het moment behoren tot de moeders op het schoolplein, vooral ook voor haar dochter, maar dat dreigt dus definitief niet te gaan lukken. Of zijn haar verwachtingen te hoog en verbeeldt ze zich van alles? Wordt ze gek? Nee, dat nooit, hoor, echt nooit. Toch? Maar: gelukkig, voldaan is iets anders. Is iets van vroeger.
'*Life's what you make it*' was altijd haar mantra – credo heette het toen nog – en dat had ze dan ook vaak met volle overtuiging meegebruld op de klanken van Talk Talk.
Of had haar echtgenoot misschien een uitdeler van de lakens in de bank- of verzekeringswereld moeten zijn? Maar daar valt ze niet op. En die uitdelers al helemaal niet op haar. Met een IT'er is natuurlijk ook niets mis. Nee, het ligt niet aan Marcel of iemand anders. Jammer en helaas, het ligt alleen aan haar. Als in: je wilt wel zelf de slingers ophangen, maar kunt de punaises nergens vinden.
Moet ze dan misschien ook eens zo'n tennispakje aantrekken als ze Kim van school op gaat halen? Ha, welnee! Ze moet hardop lachen om haar eigen naargeestige gedachten.
Zij is zij, en dat is altijd goed genoeg geweest. Wás altijd goed genoeg.
Marcel ziet haar getob met lede ogen aan en begrijpt niet waar ze zich druk om maakt. Ze ontvangt al tijden geen prikkels meer van de buitenwacht. Net alsof ze helemaal niet bestaat en er in ieder geval niet toe doet. Marcel vindt haar gebrek

aan zelfvertrouwen helemaal niets. Daar was hij toch nooit verliefd op geworden? En ze begrijpt het wel. Zou ze zelf ook nooit op vallen. Maar het is nu eenmaal zo, en het tij lijkt niet te kunnen keren. Niet in haar voordeel. Wat is haar voordeel? Ze heeft 't zich al zo vaak afgevraagd dat ze meteen het antwoord weet. Haar voordeel is 't feit dat ze een leuke, innemende man heeft en twee schatten van gezonde kinderen, voor wie ze dus goed wil zorgen. Is dat niet genoeg dan? Nee, kennelijk niet om de dagen mee te kunnen vullen. Ze wil iets meer. Niet zo heel veel meer voor nu, alleen wel net dat beetje dat haar laat weten dat ze er is en vooral: dat ze er mag zijn. De paar vriendinnen die ze dan nog kent die inmiddels kinderen hebben, lijken unaniem op een roze wolk te leven. Zijzelf leeft uitsluitend op een wolk van rosé als ze het naar haar zin heeft, bedenkt ze grimmig. Ze vindt het schijnheilig van haar vriendinnen, kan er boos om worden ook, over zoveel doen alsof, maar ze wordt 't niet. Althans, ze uit het niet. Want ze weet dat ze dan alleen maar tegenstanders zou maken en dan is ze nog veel verder van huis.
En natuurlijk overstijgt het krijgen van kinderen alle andere vormen van geluk. Vindt zij ook, daarom is ze ook gestopt met werken. Haar kids verdienen het beste, maar ai, ze verdienen ook een vrolijke moeder, en Marcel verdient een leuke echtgenote. En dat komt er allemaal veel te weinig van. Wat heeft ze toch? Een uitgestelde postnatale depressie? Na twee jaar, of al twee jaar lang? Nee, belachelijk. Ze gaat er absoluut iets aan doen. Wat dat iets is, zal wel blijken. Kom op, het komt wel goed. Misschien dat ze een cursus moet gaan doen? Zelfontplooiing! (Wellicht ook goed tegen rimpels?)
Voor nu moet ze ergens anders aan denken. Ze heeft geen zin in schilderen. Ze pakt nog een kop koffie en slaat de krant open. De berichten benemen haar de adem. Waarom moet nieuws altijd slecht zijn? Waarom bestaat er zo weinig goed nieuws? Misschien ligt daar een gat op haar te wachten, midden in de markt: een 'goednieuwskrant' beginnen. Ze realiseert zich dat die hooguit één keer per week zou kunnen ver-

schijnen, wil de krant daadwerkelijk gevuld worden. Zou dan wel een heel dun krantje zijn. Maandelijks is realistischer, tweemaandelijks is nog beter. Gauw bladert ze door.
Kanker en de oorzaken daarvan, zoals roken; doet zij ook nog steeds. Soms dan, en vooral stiekem. Jemig ja, ook dat doet ze verkeerd, maar dat valt niet in de categorie nieuws. Volgende pagina: onderzoek heeft uitgewezen dat drinken en roken een verhoogd risico geven op borstkanker. Haar kindjes, wat doet ze hun aan!
Als ze het goed begrijpt, zou ze een Barbie samenlevend met Ken moeten zijn. 's Ochtends om zeven uur opstaan met een bak cornflakes, gevolgd door een stuk meloen of iets anders fruitigs. Daarna (aangezien ze niet werkt) naar de sportschool of naar tennisles om aan haar conditie en o zo noodzakelijke gezondheid te werken. Op de fiets natuurlijk. Weer thuis zou ze eventueel een kop eikeltjeskoffie kunnen nemen. Voor de lichte lunch een geroosterde boterham – pas op voor zwarte randjes – met iets gezonds daarop en een glas melk. Een glas halfvolle melk mag dan wel. Beter is sojamelk. Verder tussendoor veel water drinken, en nog wat fruit nemen. Dan weer als een jolige Doris Day op de fiets naar de biologische winkel om groenten en vlees (nou, vlees, 't is al gewaagd) in te slaan voor het avondeten. Kim ophalen van school, vooral niet met de auto ook, en thuis de sprookjes-thee-fee zijn voor kinderen die niets anders willen dan nog een koek en een limo. En daarna gewoon, met een grote glimlach om de moederlijke mond, het totaal verantwoorde eten gaan bereiden. Natuurlijk wordt de echtgenoot stralend met een dikke kus begroet. Zoals haar schoonmoeder altijd tegen haar man zei: 'Ha! Blij dat je er bent!'
Ha, blij? Wel oké natuurlijk, maar blij is iets anders. De regelmaat knelt als een te strak dichtgeknoopt kapperscapeje om haar nek. Maar ze weet dat het helemaal aan haarzelf ligt. Dus natuurlijk wel geïnteresseerd doen: 'Heb je een leuke dag gehad, schat?'
En dan begint hij zijn dingen van de dag breed uit de doeken te doen.

Gek eigenlijk dat de echt leuke gebeurtenissen meestal niet of heel kort benoemd worden. In de praktijk van alledag gaat het dus al net zo als met het nieuws in de krant.
Oké, ook alweer niet zo leuk. Maar ja, dat geeft niet, want niks is kennelijk meer zomaar leuk. Zij vangt het wel op. Ze heeft immers niets anders te doen? Geen enkele andere functie dan de totaalbegeleiding van man en kinderen, en daar heeft ze zelf voor gekozen.
Op zijn vraag hoe haar dag was, hoort ze zichzelf uitgebreid vertellen over de buurvrouw. Dat ze nu weer dit of dat geflikt heeft, bijvoorbeeld haar auto voor hun oprit geparkeerd. Of haar kliko van de weg af gepakt, zodat ze die weer om moest wisselen. Wie had ooit gedacht dat ze zich met zulke banaliteiten serieus bezig zou gaan houden? Marcel zwijgt alleen nog maar verbaasd als hij haar voor de duizendste keer niet herkent.
Wanneer de post eens verkeerd bezorgd wordt in het keurige buurtje, gaat er in haar perceptie iets ernstig mis. Dat is het moment om ogenblikkelijk in actie te komen, want stel je voor dat de buren al tijden op juist die brief zitten te wachten.
'Leen, ga heen met die onzin,' zegt ze hardop. Ze legt de lat veel te hoog, ze wil alles helemaal goed doen en vergeet daardoor te leven. Ze moet eens wat losser worden, weer gaan genieten, en misschien gaat er dan eens iets mis, maar wat kan het schelen? Ga tennissen, of squashen of desnoods honkballen! Sla een bal woest om je heen! Of een ruit in. Waarom is ze zo als een bezetene bezig het allemaal perfect te doen voor haar gezin; ze is totaal verkrampt. Met hetzelfde fanatisme als waarmee ze vroeger werkte, stort ze zich nu op deze veel belangrijker verantwoordelijkheid: die voor haar dochters.
De abortus schiet door haar hoofd. Heeft het daar misschien mee te maken? Dat ze iets goed wil maken of zo? Ach welnee, dat is alweer twaalf jaar geleden. Ze moet geen spoken zien. Ze moet leven!
Hm ja, ze slaat de krant dicht en steekt een sigaret op. Au, fout!

HOOFDSTUK 7

Zachtjes trekt ze de deur achter zich in het slot. Het was een geweldige avond, ze kan niet anders zeggen. Meteen vanaf het moment dat ze met Gwen de feestzaal in liep, voelde het alsof ze in een warm bad terecht was gekomen. Het was één groot feest der herkenning. Herkenning omdat ze natuurlijk veel bekenden tegenkwam, maar ook de herkenning van het unieke gevoel met mensen van dezelfde bloedgroep samen te zijn. Haar oud-collega's, met wie ze het niet voor niets zo leuk had gevonden, ze deelden de belangrijkste interesses. Een paar keer had ze ouderwets de slappe lach gehad, natuurlijk weer met Tim, haar favoriete ex-collega. Ze had gedanst met Michael, tegenwoordig de grote baas van 'Ad Now', en stiekem had ze hem heel aantrekkelijk gevonden. Meerdere mensen waren haar spontaan in de armen gevallen. Ze werd meteen weer geaccepteerd, ze meende zelfs iets van bewondering te bespeuren. Natuurlijk had ze ook een paar keer haar standaardverhaal moeten afdraaien. Het was haar gemakkelijk afgegaan, stralend had ze haar motivatie om niet meer te werken uit de doeken gedaan.

'We hadden het er laatst nog over met een paar mensen,' zei Michael, 'dat we van jou nou niet hadden gedacht dat jij ooit zou stoppen. Jij ging er altijd zo ongelooflijk voor. Je was weergaloos, en je had het tot oneindige hoogten kunnen schoppen.'

Tja, dat zal wel. Vanavond voelde het alleen maar heel goed. Ze was blij met haar beslissing en met haar leven zo. Ze had iedereen weer gezien, het was enig, temeer daar ze zich reali-

seerde dat ze nooit meer haar bestaan van vroeger op zou willen pakken. Ze pakt een glas wijn en zet met de afstandsbediening de cd aan. *Simply Red* blijkt er nog in te zitten. Leuk, *good old* Mick Hucknall zingt *Stars*.
Ze voelde zich echt wel een beetje een *star* vanavond. Natuurlijk had ze erg nagedacht over haar outfit en uiteindelijk voor de gelegenheid iets nieuws aangeschaft. Het was lang geleden dat ze zoveel aandacht had besteed aan haar kleding. Maar met succes.
Het korte, zwarte en vooral pittig geprijsde Gucci-jurkje had zijn vruchten afgeworpen. In combinatie met de hoge sandaaltjes had ze er grandioos uitgezien. Dat had ze vanavond in ieder geval wel een keer of drie te horen gekregen. En zo voelde ze zich ook. In de winkel had ze lang geaarzeld of deze belachelijk hoge uitgave voor één avondje uit wel verantwoord was. Maar ze was blij dat ze had besloten om het voor één keer wel te doen. Ze wilde per se niet overkomen als de onverzorgde huismoeder van twee kleine kinderen die ze zich geregeld voelde. Bovendien zou het jurkje haar vast nog wel vaker van pas komen. Voordat ze van huis ging had ze zich laten keuren door Marcel, die achter zijn laptop zat.
'Vind je dat dit wel kan, Mars,' had ze onzeker voor hem gestaan. 'Is het niet een beetje te?'
Marcel keek kort naar haar op. Zoals altijd was hij met moeite uit zijn werk te rukken. 'Hm ja, ik zou denken: wat een mooie vrouw,' luidde zijn antwoord en hij had zich ogenblikkelijk weer op het toetsenbord gestort.
Ze gaf hem een kus op zijn voorhoofd en zei dat ze dit ook aan zou trekken als ze de volgende keer samen uit eten gingen. In de auto op weg naar Gwen vroeg ze zich af wanneer ze zich voor het laatst voor hem had opgedoft. Ze kon het zich eigenlijk niet herinneren. Het was ook niet nodig, hij vond haar leuk zoals ze was. Soms zou ze willen dat ze meer moeite voor hem moest doen, dat het wat spannender was, de uitdaging iets meer aanwezig. Aan de andere kant gaf dit veel rust. Ze moest er toch ook niet aan denken continu op haar tenen met

buik in voor hem te moeten lopen. Zoals ze dat altijd voor Victor moest. Victor, die geen andere relatie met haar wilde dan een seksuele. Zoals hij dat trouwens met niemand wilde. Ze had zich zelfs bevoorrecht gevoeld dat zij regelmatig werd uitverkoren om de nacht met hem door te brengen. En dat gedurende een jaar of vijf. Pff, hoe had ze ooit zo onnozel kunnen zijn.
Eigenlijk had ze wel verwacht dat hij aan het eind van deze avond weer met zijn gebruikelijke versierpraktijken zou beginnen. Maar dat was niet gebeurd. Het had haar toch bevreemd. Ze had hem de hele avond al gezien, het was haar ook opgevallen dat hij haar in de gaten hield, maar hij was niet naar haar toe gekomen. Hij had haar zelfs geen gedag gezegd! Uiteindelijk was ze met haar glas champagne in de hand op hem afgestapt en had gevraagd hoe het met hem ging. 'Sorry, ik ben in gesprek zoals je ziet,' luidde zijn antwoord, en hij wendde zich ogenblikkelijk weer tot zijn gesprekspartner. Ze was stupéfait. Dit had hij nog nooit gedaan! Was hij weer met een nieuw spelletje bezig? Even later had ze vanaf gepaste afstand met haar wijsvinger naar hem gewenkt en daarbij zo verleidelijk mogelijk geglimlacht. Hoewel ze zag dat haar uitnodiging hem niet ontging, draaide hij zich direct om. Hij wilde haar dus niet meer spreken.

Ze vindt het raar, bij haar weten is er niets gebeurd waar hij boos over kan zijn. Het is eigenlijk volslagen ridicuul, hij is wel de laatste die het recht heeft om boos op haar te zijn!
Nu niet meer aan denken, het is al drie uur. Ze gaat naar bed.

HOOFDSTUK 8

Wow, die Richard Gere mag er nog steeds zijn. Hij is duidelijk ouder, want helemaal grijs inmiddels, maar hij heeft het nog steeds. Deze dvd blijkt een goede keuze. Eindelijk, want ze maakte de laatste tijd de ene misser na de andere bij het uitzoeken van films. Sinds de geboorte van de kinderen huurt ze vaak een dvd voor de zaterdagavond. Bij gebrek aan beter, denkt ze weleens in een van haar onredelijk ontevreden buien. Maar nu gelukkig niet, want de film boeit haar vanaf het eerste moment.

Ook Marcel lijkt erin op te gaan. Eigenlijk vertoont het verhaal wel overeenkomsten met hun situatie. Ze kan zich goed vereenzelvigen met Constance, die op voortreffelijke wijze wordt neergezet door Diane Lane.

Constance heeft dan slechts één kind, maar ook zij is fulltime huismoeder. En Edwin, gespeeld door Gere, is al even werkverslaafd als Marcel. Het is duidelijk dat Constance wel openstaat voor wat spanning, terwijl ze een harmonieus huwelijk heeft met een kanjer van een man. Net zoals zij dus.

Maar vanaf het begin voelt Lena dat er iets mist tussen die twee. Zoals waarschijnlijk bij bijna iedereen die al langere tijd getrouwd is en de zorg voor een of meerdere kinderen deelt. Ze herkent het onmiddellijk. Het is natuurlijk ook wel wat gemakkelijker gemaakt door de titel. *Unfaithful* laat weinig te raden over. Er zal wat gaan gebeuren. En met wie ziet ze direct als Jack, vertolkt door Olivier Martinez, ten tonele verschijnt nadat Constance de trein heeft gemist en in een storm terechtkomt. Tjonge, wat een lekker ding, deze Jack. Hij is de zonde

dubbel en dwars waard. De vonken springen meteen in de eerste seconden van Constance en Jack af. Hun lichaamstaal en de chemie tussen hen is prachtig in beeld gebracht. Net zoals alles schitterend wordt geregistreerd. Dat is Adrian Lyne, de regisseur, natuurlijk ook wel toevertrouwd. Vanaf het moment dat Constance Jacks huis betreedt, kan het niet anders dan dat die twee met elkaar tussen de lakens belanden. Het moet gewoon, er is geen ontkomen aan. Dit is een typisch geval van overmacht. Knap eigenlijk dat deze acteurs dit zo goed weten neer te zetten. Hoewel, écht moeilijk zal het voor beide partijen niet zijn geweest om deze rol zo overtuigend te spelen. Ze zijn beiden bloedmooi en vooral fonkelend sexy. Lena voelt hoe Constance zich bij Jack op-en-top vrouw voelt. Niets anders dan alleen maar vrouw. En Jack is helemaal man. Rare gedachte eigenlijk: helemaal man en helemaal vrouw.
Zij is Constance. Ze kijkt terloops naar Marcel. Die zit nog steeds geboeid te kijken. Zou hij zich misschien Jack voelen? Jack met een andere vrouw dan zij? Ach welnee, ze moet nu niet de hele boel om gaan draaien. Marcel is er alleen voor haar en zou er nooit aan denken om met het goede been het verkeerde bed uit te stappen. Marcel is inderdaad meer Edwin. Net zo lief, betrokken en succesvol als Edwin. Zij is degene die buitengaats wil, zij is Constance. De vrijscènes doen haar rillen van genot. Ze beleeft het van a tot z mee. Ze voelt de erotiek door haar lijf sidderen en dat doet haar natuurlijk ook weer een beetje aan Victor denken. Victor was ook wel een goede Jack geweest. Dat zinderende, dat verrukkelijk veroverende. Maar Victor is voltooid verleden tijd. Of onvoltooid. Hij wil haar zelfs niet eens meer kennen.
Als Constance op weergaloze wijze in de gang door Jack genomen wordt, heeft Lena het bijna niet meer. Ze zit op het puntje van de bank. Dat wil zij ook! Precies zo. Ze geneert zich voor haar gedachten en kijkt zijdelings naar Marcel. De lieverd ziet het en geeft haar een knipoog.
'Je vindt het wel wat, hè,' glimlacht hij, 'nou, ik ben er klaar voor, hoor.'

Hij moest eens weten wat ze denkt. Het is natuurlijk de spanning van het onbekende bij dit stel. Je ziet dat die twee mensen elkaar ruiken, voelen en alleen maar willen blijven proeven. Alle zintuigen op drieduizend volt. Zo'n gloeiend avontuur zou ze zelf ook weleens willen beleven. Met natuurlijk een ander einde, besluit ze als de film is afgelopen, want zij zou in geen geval willen dat Marcel ook maar ergens de dupe van zou zijn. Hij zou het niet eens hoeven te weten, het zou slechts voor één keertje zijn. En zij zou zéker nooit de geobsedeerde afhankelijkheid willen die Constance van Jack laat zien. Maar het zou hun huwelijk misschien net de *boost* kunnen geven die het nodig heeft en zij zou voor één keer eens niet verantwoordelijk bezig zijn. Dat zou haar wellicht ook alleen maar goeddoen. En zoveel mensen gaan een keer vreemd, waarom zij dan niet, na zoveel jaren trouwe dienst?
'Leuk filmpje. Maar *9½ weeks* en *Fatal Attraction* van Lyne vond ik vele malen beter,' zegt Marcel terwijl hij de televisie uitzet. Leuk filmpje? Dat is wel het understatement van het jaar! Deze film is geweldig! Zo verschrikkelijk ultiem herkenbaar, en dan die erotiek! Vlammend! Zij is nu Constance, ze identificeert zich volledig met de vrouwelijke hoofdpersoon, dat had ze zeker niet bij een van de films die Marcel net noemde.
Hij gaat op zijn knieën voor haar zitten en neemt haar gezicht tussen zijn handen. Hij streelt door haar haren en kust haar mond.
'Ga jij niet doen, hè,' fluistert hij in haar hals, terwijl hij haar blouse openknoopt.
'Nee zeg, ik moet er niet aan denken,' antwoordt ze verschrikt.
Ze trekt Marcel boven op haar, ze heeft veel zin in hem. In hem of in seks? De seks die ze net gezien heeft. Het schiet door haar heen dat ze hier op de nieuwe witte bank liggen, die natuurlijk wel wit moet blijven. Ze is niet voor niets dagelijks bezig om Kim en Lauren duidelijk te maken dat ze niet mogen eten of drinken op de bank, en dat ze er vooral niet met hun

schoenen op kunnen staan. Ach, wat kan het schelen ook, ze wil nu genieten. Alleen dat. Lekker in de praktijk brengen wat ze net heeft gezien, al is het maar de helft. Tijdens de vrijpartij, heftiger dan ze zich sinds lange tijd kan herinneren, wisselen diverse beelden elkaar af. Beelden van Jack en Constance en Marcel. En Victor, altijd Victor.

HOOFDSTUK 9

'Indrukwekkend, Lena.'
Reinier staat aandachtig voor het laatste schilderij uit de serie van vijftien, die ze speciaal voor zijn komst naast elkaar had opgehangen. De zon schijnt uitbundig door de hoge ramen van haar atelier. De geur van versgezette koffie maakt het sfeertje wel compleet, denkt ze terwijl ze Reinier van opzij bekijkt. Hij is beslist wat je noemt 'een mooie man'. Goeie combi ook, die lichte spijkerbroek met dat naturelkleurige linnen colbert en het zalmkleurige hemd daaronder. Zij heeft vanochtend ook wat extra aandacht besteed aan haar kleding, zodat ze nu zo samen in dit gezellige, zonnige atelier niet zouden misstaan in een koffiereclame. Ze zet twee dampende bekers op de tafel en gaat zitten. Reinier schuift in gedachten de antieke houten keukenstoel, erfstuk van haar oma, naar achteren en gaat ook zitten.
'Ja, ik ben zeker geïnteresseerd en wat mij betreft zou je over zes maanden kunnen exposeren.'
Haar hart huppelt tegen haar borstkas aan. Zij heeft een expositie, ze droomt het niet! Voor de zekerheid knijpt ze onder tafel even met duim en wijsvinger in haar pols. Een kinderachtige gewoonte die ze nooit heeft afgeleerd.
'Nou, Reinier, meen je dat? Geweldig! Ik kan niet wachten totdat het zover is.' Ze hoort de trilling in haar stem.
Hij lacht. Hij lacht nog precies zoals vroeger.
'Ik mail je de voorwaarden wel. Dan kun je die op je gemak bekijken, of laten bekijken natuurlijk.'
Ze knikt. Voorwaarden? Er is geen enkele voorwaarde die

haar interesseert. Onvoorwaardelijk hangt ze haar werk bij hem op.
'Hoe is het verder met je?' Met zijn hoofd een beetje schuin is hij minstens zo charmant als vroeger.
'Ja, goed. Twee kids, hè, en dat was wel even wennen, dat leven, want ik ben gestopt met werken na de geboorte van de eerste.'
'Dat verdienen ze ook. Kinderen verdienen het beste. Alles.'
Origineel antwoord. Dat heeft ze eigenlijk nog nooit op die manier gehoord.
'Bijkomend voordeel is natuurlijk dat je je schilderkunst nog meer hebt kunnen ontwikkelen, en niet zonder resultaat, als ik het zo bekijk!'
Nog steeds even lief en positief: inspirerend. Hij geeft haar altijd een goed gevoel. Dat was vroeger al zo en dat blijkt onveranderd. Als je het bekijkt zoals hij dat nu even simpel zegt, is ze een grote mazzelkont. En ja, eigenlijk is ze dat ook wel. Eindelijk voelt ze zich geen muts. Geen huismuts die gestopt is met werken. Nu niet en misschien wel nooit meer. Ze besluit dat ze er alles aan gaat doen om dit gevoel vast te houden. Ze heeft alle reden om trots op zichzelf te zijn. Zeker nu ze ook nog gaat exposeren! Ze kan niet wachten om het aan iedereen te vertellen. Iedereen? Nu ja, in ieder geval aan Marcel, natuurlijk.
'Ik zie ze tegenwoordig gelukkig wel weer, maar ik heb mijn kinderen een tijd niet mogen zien.' Reinier kijkt naar zijn handen, die voor hem op tafel liggen. Hij vouwt zijn vingers tegen elkaar, zodat zijn handen een driehoek vormen.
Ze wist niet dat hij kinderen had. Ze wist eigenlijk ook helemaal niet dat hij dan misschien getrouwd was geweest.
'Joh, heb je kinderen? Wat leuk, hoeveel?' Ze zegt het zo luchtig mogelijk. Als het zwaar moet worden, komt dat vanzelf wel.
'Drie. Een meisje en twee jongens. Ze zijn wel wat ouder dan die van jou.' Hij lacht bijna verontschuldigend. 'Dochter is tien, de jongens zijn twaalf. Een tweeling dus. Ik ben zes jaar geleden gescheiden. Een uiterst verwarrende tijd was het.

Maar goed, die is goddank voorbij. Mijn ex is inmiddels ook weer happy. Ze heeft nu een vriend en dat scheelt alles, moet ik zeggen. Tegenwoordig gaan we zelfs als vrienden met elkaar om. Dat is weleens heel anders geweest, kan ik je melden.'
Hij lacht schamper en houdt zijn handen nog steeds in de driehoek voor zijn gezicht, ellebogen op tafel en duimen onder zijn kin. Zonder haar aan te kijken, vervolgt hij: 'Ze was woedend toen ik vertrok. Ze voelde zich verraden, vernederd en heel erg alleen. Hoewel het al jaren niet goed meer ging tussen ons, kon ze maar niet begrijpen dat ik wegging.' Hij tikt nu met de top van de driehoek tegen zijn neus. Zijn ogen bestuderen het tafelblad.
'Het was de moeilijkste beslissing van mijn leven. Alles wat je eigen is verlaten, dat is onmenselijk, eigenlijk totaal niet te doen. Dat staat zo lijnrecht op alles wat in je zit. Maar ik kon het niet meer. Ik wist dat we het nooit meer goed zouden krijgen met z'n tweeën. En ik vond dat wel een voorwaarde. Ik wilde niet aan blijven modderen met een vrouw van wie ik niet eens meer wist of ik ooit wel van haar gehouden had. Zover was het namelijk. Achteraf weet ik dat ik natuurlijk van haar gehouden heb. Heel veel zelfs. En ik weet nu ook dat je het nooit zeker weet, een scheiding. Misschien had het helemaal niet gehoeven. Maar wat zit ik hier nu te zeuren, zeg, en jou een beetje lastig te vallen met mijn verhalen.'
'O nee, dat doe je helemaal niet! Het spijt me dat je gescheiden bent en zo'n nare tijd hebt doorgemaakt, maar ik ben blij te horen dat het inmiddels weer zoveel beter gaat. Ook voor de kinderen, natuurlijk,' haast ze zich te zeggen.
'Ja, in de eerste plaats voor de kinderen. Het is bijna een wonder, maar het lijkt alsof ze niet veel schade hebben ondervonden van de scheiding. En dat is natuurlijk voornamelijk de verdienste van mijn ex. Het is enorm knap hoe ze dat gedaan heeft met de kinderen, terwijl ze zelf verteerd werd door verdriet. Alleen daarom al kan ik erg veel van haar houden.' Hij lacht weer.

'En, heb je nu een vriendin?' kan ze niet laten te vragen.
'Nee. En ja ook. Vriendinnen. Af en toe eentje. Als ik zin heb in gezelschap en zij ook, dat bevalt mij het best. Maar geen verplichtingen, geen claims. Vrijheid, blijheid en genieten van het moment.'
Hij kijkt op zijn horloge en springt op. 'Ai, het is al twaalf uur! Ik heb nu een afspraak op de galerie. Ik moet dus vliegen.' Gehaast geeft hij haar twee kussen. 'De tijd gaat drie keer zo snel met jou, net als vroeger, ik mail je.'
Met een klap valt de voordeur dicht.
In een roes loopt ze naar haar atelier terug en ruimt de bekers op. Wat een moed moet je hebben om uit elkaar te gaan, wat een hartverscheurende breuk moet dat zijn, in ieder geval als er kinderen zijn. Ze krijgt het er koud van. 'Je weet het nooit zeker, een scheiding, misschien had het helemaal niet gehoeven,' hoort ze Reinier weer zeggen. Die zin had haar getroffen, want die was ze al meermalen tegengekomen in interviews met ervaringsdeskundigen.
Maar kom op, ze heeft een expositie! Over zes maanden al. Ze durft het nog niet te geloven. Ze had dus precies de goede schilderijen voor hem uitgezocht. Nu eerst Marcel bellen.

HOOFDSTUK 10

Terwijl ze de computer aanklikt, valt haar oog op de vijfentwintig rode rozen die een paar uur geleden ter ere van haar expositie bezorgd werden. Van Marcel. De schat, ze had niet verwacht dat hij daaraan zou denken. Over het algemeen is hij niet zo attent, ze krijgt nooit bloemen van hem, maar nu is hij waarschijnlijk allang blij dat ze iets gevonden heeft waarmee ze eventueel weer een beetje in de maatschappij komt te staan. Wat een wrange gedachte, het is een projectie van haar eigen gemeander, beseft ze. Marcel zal het heus spontaan en lief bedoeld hebben.

Hij kan er ook niets aan doen dat hij juist nu weer in Düsseldorf zit, anders hadden ze zeker een fles champagne opengetrokken. 'Bel je vanavond', staat er op het kaartje.

Een bericht van schoolbank.nl. Onderwerp: iemand stuurt je een bericht. Dat moet van Paul zijn, heeft hij toch gereageerd! Daar had ze eigenlijk niet meer op gerekend. Ze ziet haar vingers trillen als ze het bericht opent. Wat een dag is dit!

Hoi Lena,
Leuk om iets van je te horen! Ik reageer laat omdat ik in het buitenland zat. Toen ik je bericht las, kwamen er meteen allerlei beelden van vroeger naar boven. Mooie beelden die de herinneringen illustreren. Ben benieuwd hoe het met je gaat. Stuur nog eens een mailtje. Lieve groet, Paul. Paul3432@hotmail.com

Hij heeft dus een persoonlijk bericht voor haar aangemaakt. Heeft de moeite genomen om lid te worden, of nee, was het al, natuurlijk.
Oké, nu eerst een glas wijn. Ze heeft een expositie en contact met iemand die ze eigenlijk niet kent; zomaar twee nieuwe gebeurtenissen op één dag. Eindelijk beweegt er iets; reden genoeg voor feest.
Wat een leuke mail, poëtische zin trouwens voor een man: 'mooie beelden die de herinneringen illustreren'.
Dat 'nog eens' maakt het weer erg vrijblijvend, zo van: het hoeft niet. Maar des te leuker, als hij smachtend op haar reactie zat te wachten zou de lol er meteen vanaf zijn. Bovendien zeg je zoiets natuurlijk niet, in een eerste mail. Misschien wel de laatste ook. Maar wat maakt het uit?

Hoi Paul,
Enig om een mail van je te krijgen. Met mij gaat het heel goed en ja, ook bij mij kwamen de herinneringen naar boven toen ik je op schoolbank.nl zag staan. Vandaar mijn bericht. Ben natuurlijk erg benieuwd hoe het met je gaat. Ik ben getrouwd en heb twee dochters. En jij?
Lieve groet terug, Lena.

Bijna ogenblikkelijk hoort ze het pingeltje, dat de ontvangst van een nieuw bericht aankondigt.

Ha Lena,
Nee, heb geen kinderen, ben alleen want gescheiden, maar niet op zoek hoor. (Dit voor de zekerheid, haha.)
Het bevalt me prima zo. Heb je nu misschien even tijd om te msn-en? Dat praat wat gemakkelijker.
Paul

Die Paul, hij laat er geen gras over groeien. Maar waarom ook niet, ze heeft tenslotte contact met hem gezocht; het is niet gek dat hij haar nu uitnodigt voor een gesprek. Ook al gescheiden

dus, maar niet op zoek, met 'dit voor de zekerheid, haha' erbij. Denkt hij soms dat ze nog steeds een zwijmelende elfjarige is? Ach welnee, hij bedoelt het natuurlijk goed. Kan ook door onzekerheid zijn ingegeven. En ze heeft de hele avond de tijd. Ze antwoordt dat ze het leuk vindt om te msn'en maar geen idee heeft hoe dat moet. Meteen daarna legt hij uit hoe ze bij die site komt. Ze hoeft alleen de aanwijzingen te volgen. Aan het einde van de rit moet ze hem als contactpersoon toevoegen en dan kunnen ze beginnen. Ze vindt het nog een hele klus. Dat inloggen en aanmelden, het is kennelijk overal hetzelfde liedje, terwijl het niets over de persoon in kwestie zegt. Overal kan iedereen zich voor een ander uitgeven, als je tenminste hotmail gebruikt. Maar dat doet ze niet. Niet te kinderachtig nu. Er is niets mis met contact met een oude schoolvriend.
Kijk, boven in het blanco scherm verschijnt een groen poppetje. Paul3432@hotmail.com (online) staat erbij. Ha!
Daar ben ik, tikt ze snel.
Welkom hier! komt eronder te staan.
Wat grappig zo.
Leuk hè, en dat na al die jaren.
Jaar of 26 denk ik?
Zoiets ja.
Wat zou ze nu kunnen vragen? Ze moet maar niet over dat zwembad beginnen.
Hij neemt het voortouw: *Dus jij bent getrouwd en moeder van twee kinderen?*
Jaja. Erg leuk allemaal. En jij niet verdrietig gescheiden, als ik het goed las.
Nee hoor. Het is alweer zo lang geleden. Het was beter voor allebei dat we elkaar loslieten. Ben vaak voor m'n werk in het buitenland.
Wat doe je?
Grafisch ontwerper. Freelance. Mijn belangrijkste opdrachtgever zit in Luxemburg.
Wat leuk! Je bent heel creatief dus.

Ik doe mijn best. En jij, werk jij ook, of zorg je fulltime voor de kinderen?
Jawel, daar is-ie weer. Moet ze hem weer gaan afdraaien, de standaardriedel.
Ik doe veel op school. En ik schilder, meer als hobby, hoor. Heb over een halfjaar een expositie, dat wel.
Tjongejonge, dat moest ze dus meteen kwijt.
Wie van ons is hier nou creatief? Wat ontzettend goed, joh.
Ze is benieuwd naar hoe hij eruitziet. Dat kan ze natuurlijk niet vragen. Hij was een leuk jongetje, met middelblond haar en lichte ogen. Grijs, als ze het zich goed herinnert. Altijd blij. Guitig gezicht. Die sproeten heeft hij vast niet meer. En nu? De introductie is achter de rug, door naar de volgende ronde? En zo ja, welke dan?
Nou, goed om je gesproken te hebben. Stuur nog eens een mail, vind ik leuk! ziet ze verschijnen.
Ai. Hij wil stoppen. En zij begint net de smaak te pakken te krijgen.
Heb je nog even tijd voor een spelletje, een paar minuten?
Het schiet haar opeens te binnen. Een testje dat ze vroeger op de middelbare school vaak deed. Dat is wel leuk met hem, hoopt ze.
Spelletje? Haha, oké, gooi op.
Hij praat leuk. Ze weet natuurlijk niet hoe hij klinkt.
Goed. Nou, stel je voor: het is een prachtige zomerse dag, de zon schijnt uitbundig en je besluit een wandeling te gaan maken. Je gaat naar het bos. In het bos gekomen ben je helemaal alleen, er is niemand te zien. Op de grond ligt een sleutel. Hoe ziet die sleutel eruit?
Groen vermost, want hij lag al lang op mij te wachten. Een gewone lipssleutel.
Wat doe je ermee?
Ik neem hem mee en bij de dikste boom die ik tegenkom probeer ik of hij past, haha!
En? Past-ie?
Nee, niet bij de eerste boom, maar bij de vijfde wel.

Wat zie je dan?
Een kabouterfamilie, die het heel gezellig met elkaar heeft.
Hé, dat lijkt tegenstrijdig met wat hij eerder zei, dat hij het prima vindt om alleen te zijn. Ze moet dit allemaal goed onthouden om hem straks de uitslag van de test te geven.
Oké, je loopt weer door en komt bij een meer. Hoe ziet dat meer eruit?
Prachtig blauw. De zon zorgt voor een mooie glinstering in het water. Een veelbelovend meer, zeg maar.
Veelbelovend? Hoe bedoel je?
Uitnodigend. Ik loop ernaartoe en zie in het heldere water vissen zwemmen en in het riet hoor ik kikkers. Ik kleed me uit en ga zwemmen.
En? Is het water lekker?
Heerlijk, ik moet mezelf dwingen eruit te gaan. Maar doe het uiteindelijk wel en kleed me weer netjes aan.
Ze lacht hardop, hij moest eens weten. Die Paul!
Je loopt weer door.
Ja, maar niet voordat ik nog even heb staan nagenieten aan de waterkant.
Je neemt dus alle tijd?
Ja, dit meer is zo prachtig, eigenlijk kan ik er geen genoeg van krijgen.
Wat een enig antwoord! Snel maakt ze een paar notities op een los blaadje naast het toetsenbord. Ze mag geen detail vergeten voor de uitslag zometeen.
Goed, maar uiteindelijk loop je weer verder en je komt bij een schutting die onverwacht het bos afsluit. Hoe hoog is die schutting?
Centimeter of vijftien hoger dan ik.
Hoe hoog is dat?
Ze is benieuwd naar zijn lengte. Zou hij Paulus de boskabouter zijn?
Twee meter dus.
Mmm, één meter vijfentachtig; precies de lengte die ze mooi vindt voor een man.

En? Ben je benieuwd wat er achter die schutting is?
Ja, ik trek me op en kijk eroverheen.
Wat zie je dan?
Een vuilnisbelt.
Dat is nou weer jammer, maar kan natuurlijk. En de andere twee antwoorden waren wel heel leuk. Veelbelovend, eigenlijk, om maar even bij zijn woorden te blijven. Ze grinnikt.
Oké, dat was 'm. Hier volgt de uitslag.
Kan niet wachten!
Niet zo cynisch. Lees en huiver...: Die sleutel is het symbool voor de vriendschap. Vriendschap is voor jou heel gewoon, maar ook heel bijzonder. Gewoon, omdat het een lipssleutel is, die dus universeel wordt gebruikt, en bijzonder omdat je gelooft dat echte vrienden er alleen voor jou zijn. Dit omdat die sleutel zo lang op je heeft gewacht. Je wilt niet met iedereen vriendschap, vandaar dat de sleutel niet overal past. Maar je staat er wel voor open, daarom probeerde je die sleutel op diverse bomen. Pas bij de vijfde boom is het raak. Maar als het raak is, dan is het ook heel gezellig! Dat blijkt weer uit de knusse kabouterfamilie die je beschreef.
Ja, die interpretatie is het beste. Beter om er niet een heel gezinsleven bij te halen.
Dan: het meer. Het meer staat voor je seksuele leven.
Tuttut! Je bent me er wel eentje, zeg!
Ze voelt haar wangen gloeien.
Misschien maakt ze de uitslag wel iets mooier dan die is en is het haar interpretatie van hoe ze zou willen dat hij is? Wat kan het haar nou schelen hoe hij is? Nee, hij heeft die antwoorden werkelijk gegeven, dus tikt ze serieus weer door.
Dat meer dus. Je vindt het erg mooi en er is ook leven in, denk aan de vissen en de kikkers. Seks vind je dus geweldig. En je bent behalve een gepassioneerde ook een actieve minnaar, want je neemt een diepe duik! Vervolgens vind je het moeilijk om je na een goede vrijpartij weer los te maken van je partner en je houdt ook niet van vluggertjes, want je neemt alle tijd.

Haha! Prachtig dit!
Enthousiast typt ze door: *Dan de schutting. Die staat voor het leven na de dood.*
Oeps.
Het is maar een spelletje, hoor, niets engs. Die schutting dus. De dood staat nog ver van je af, want de schutting is een stuk hoger dan jij. Maar af en toe denk je er wel over na, dat blijkt uit dat je je optrekt om eroverheen te kijken. Dan zie je een vuilnisbelt! Je gelooft dus niet in het hiernamaals?
Ze stopt even, ze heeft lamme vingers gekregen van het snelle typen.
Leuke test. Klopt ook aardig, moet ik zeggen. Heb je psychologie gedaan of zo?
Welnee, het is een spelletje dat ik ooit ergens las. Maar vind het zelf ook leuk en het grappige is dat het vaak wel klopt.
Hij hoeft natuurlijk niet te weten dat ze hier de hele middelbare school al mee had lastiggevallen. Zo lijkt ze origineel. En dat is altijd goed, bij een eerste, of nee, hernieuwde kennismaking.
Heb ervan genoten, Lena. Ik moet nu stoppen want heb nog een zakelijk telefoontje te doen.
Goed, welterusten voor straks.
Dank. Let's keep in touch. Lijkt me leuk.
Mij ook, tikt ze.
Bye, zegt hij nog en dan staat er dat Paul3432@hotmail.com offline is. Het voelt alsof ze na een feestje als enige is achtergebleven en de troep op moet gaan ruimen.
Verlaten en onbestemd.
Victor.
Die haar nu opeens niet meer wil kennen.
Zonder uitleg, maar daar heeft ze ook niet naar gevraagd. Dat gaat ze nu doen.
Ze schenkt zich nog een glas wijn in. Het laatste, want de fles is leeg. Wat gaat dat toch snel.
Ze pakt haar adressenboek erbij. In een ver verleden heeft ze zijn e-mailadres gekregen. Het moet nog kloppen, want zover

ze weet voert hij nog steeds dezelfde bedrijfsnaam als die ook in zijn adres voorkomt. Ze aarzelt, het is raar om te doen, ze laat zich wel kennen op deze manier. En het is al halfelf. Ach, wat kan het haar schelen ook. Ze wil weten wat er aan de hand is, het waarom. Zoals ze altijd op zoek is naar het waarom van de dingen. Dit uitgebreide eerste contact met Paul heeft haar wellicht een overmoedig gevoel bezorgd. Misschien dat ze morgenochtend spijt heeft. Nee, ze moet niet altijd overal zo diep over nadenken. En Paul vond het toch ook alleen maar leuk om weer eens wat van haar te horen. Na zesentwintig jaar nota bene. Waarom Victor dan niet? Dat is nog maar twaalf jaar geleden.

Hoi Victor,
Het verbaasde me om op het feest van Ad Now te merken dat je me negeerde. Heb ik iets verkeerd gedaan?
Ik kan zelf niets bedenken. Misschien wil je me terug mailen?
Liefs,
Lena

Zo, dit is kort, maar oké. Het impliceert geen emotie, zoals het hoort, want ze voelt ook geen emotie bij hem. Ze wil alleen wel even weten hoe het zit. En dat mag, ze leeft in een vrij land.
Als ze de kaarsen uitblaast, valt haar blik op de rozen. Marcel heeft nog niet gebeld.
Dan pas realiseert ze zich dat ze vanochtend ter ere van Reiniers bezoek de stekker uit de telefoon had getrokken in het atelier. Ze wilde beslist niet afgeleid worden, het was te belangrijk. En haar mobiel zit in haar tas, die op het tafeltje in de gang staat. Die had ze onmogelijk kunnen horen.
Eén bericht, zegt de display.
'Hi liefje. Je neemt maar steeds niet op. Ligt vast al lekker in bed. Ga er nu ook in, ben kapot. Grote zoen, Marcel.'

Ze checkt de tijd waarop het bericht is ontvangen: 22.16. Dus toen ze met de test bezig was.
Een soort schuldig onbehagen bekruipt haar. Waarom? Paul is gewoon een oude schoolvriend. Geen enkel probleem.

HOOFDSTUK 11

Tevreden stapt ze het kleuterschooltje uit. Kim blijft met de andere kindjes over, dus ze heeft zo nog lekker een paar uur voor zichzelf. Om halfvier hoeft ze Lauren pas bij oma op te halen. Ze is blij dat ze het gedaan heeft, in de eerste plaats natuurlijk voor Kim, die o zo trots was dat haar moeder kwam helpen knutselen.
'Dat is mijn mama, hoor!' had ze die ochtend ontelbare keren met grote, blije ogen tegen haar klasgenootjes geroepen.
Maar voor haarzelf voelt het ook als een soort overwinning, want het was helemaal niet zo erg als ze had gedacht. Ze had er zelfs van genoten! Eigenlijk was het enig om al die kleintjes zeer geconcentreerd met een werkje aan de gang te zien. En het was heel gezellig met de andere knutselmoeders en de juffen. Significant voorbeeld van hoe haar oordelen vaak vooroordelen blijken te zijn. Angst voor het onbekende? Hoe dan ook, ze heeft er nu in ieder geval geen last meer van. Weer een vooroordeel overwonnen. Als er iets is waar ze van geniet, dan is het de euforie van de overwinning.

Ze had de hele ochtend op een wolk gezeten. Bij vlagen teruggedacht aan gisteravond. Wat was dat leuk met Paul. Het waren slechts lettertjes, maar het voelde als een echt, warm gesprek. Verrassend, om zo onverwacht contact met hem te hebben. Marcel doet ze hier niets mee tekort. Hij zou het juist leuk voor haar vinden dat ze zo'n grappig gesprek met iemand van vroeger heeft gehad.
Het valt haar op dat ze de pas er goed in heeft. Ze wil snel

naar huis en kijken of Victor haar mail nog heeft beantwoord. Dat zou ook weer een kleine overwinning zijn.
Met grote vaart opent ze de voordeur. In draf naar haar computer.
Nou zeg, wat een haast, zo belangrijk is het niet. Met haar jas nog aan ploft ze op de stoel en klikt haar pc aan. Niets. Geen mails. Maar goed, het is ook pas kwart over twaalf, het kan natuurlijk dat hij er even over na moet denken. Dat hij nog wel gaat antwoorden.

8 juli 1997

Langzaam kwam ze tot zichzelf. Door haar wimpers, die ze maar moeilijk van elkaar kon krijgen, bestudeerde ze het plafond dat ze niet herkende. Ze draaide haar hoofd naar rechts en keek naar rood met blauw gebloemde gordijnen. Snel draaide ze haar hoofd naar links en zag een pluk blond haar op het kussen naast haar. O ja, vandaar die koppijn. Ze waren met de nodige wijntjes op naar Scheveningen gereden. Ontzettend stom dat ze het weer gepresteerd had om met drank op achter het stuur te gaan zitten. Ze had nog gereden ook. In zijn auto. Dit bloemengordijn was van het Kurhaus. Wanneer hielden ze er eens mee op alle hotels in Nederland te bezoeken?
Als hun verhouding ophield, en dat zou echt wel een keer gebeuren. Nou, verhouding, dat was een veel te groot woord voor wat ze hadden. Het was alleen lust. Ze had er eigenlijk zo ontzettend genoeg van. Maar dat was al zo lang, en elke keer als ze hem tegenkwam was daar weer die chemie, die vonkende aantrekkingskracht. En de lol die ze dan samen ook hadden, die heel speciale, beetje cynische humor en herkenning die alleen zij samen deelden. Waar de volgende dag nooit meer iets van te bekennen was. Even onverwacht verdwenen als gekomen.
Hij sliep nog. Zachtjes stapte ze het bed uit en sloop naar de douche. Weer terug in de kamer kleedde ze zich stilletjes aan.

Bah, wat een vieze smaak in haar mond, en natuurlijk nergens tandpasta te bekennen. Laat staan een tandenborstel. Hoelang duurde deze klucht nu al? Algauw een jaar of vijf, bedacht ze terwijl ze haar schoenen aantrok. Vijf jaar! Het werd wel tijd dat er eens een einde aan zou komen. Alle standjes waren meermalen oeverloos uitgeprobeerd en verder hadden ze elkaar weinig te melden. Althans, hij wilde haar weinig te melden hebben. Hij leek erg veel om haar te geven; maar dat bleef beperkt van de avond ervoor tot de ochtend erna. Toch, er was altijd iets, altijd iets sterkers dat haar weer door de knieën deed gaan.
Ze moest hem nu maar even wakker maken. Zachtjes streelde ze over zijn schouder. 'Victor, wakker worden,' fluisterde ze. Ze zag een oog half opengaan.
'Huh?' was het enige dat eruit kwam.
'Eh, wakker worden.'
'Hoe laat is het?' kreunde hij.
'Halftien.'
Hij draaide zich om. 'Dan blijf ik nog even liggen.'
Tja, dat kon natuurlijk. Ze waren tenslotte pas tegen vieren naar bed gegaan. Met vlagen kwamen de beelden van de vorige avond naar boven. Als een soort legpuzzel. Langzamerhand vormden de flarden stukje bij beetje een geheel.
Ze hadden alle strandtenten uitgebreid bezocht. Toen ze het laatste paviljoen bijna uit gegooid waren omdat men echt wilde sluiten, hadden ze daar nog een fles champagne weten te scoren, die ze op het strand opdronken. Want ze hadden nog niet genoeg gehad.
Ze pakte haar tas van de grond en werd overvallen door een lichte duizeling. Ze moest even op het bed zitten. Snel stond ze weer op. Ze piekerde er niet over nog langer in deze hotelkamer te blijven. Het benauwde haar en ze wilde naar buiten. Weer legde ze zachtjes haar hand op zijn schouder. 'Dan ga ik buiten op het plein op het terras zitten. Ik wacht daar op je, oké?'
'Is goed. Zie je zo,' mompelde hij en ze hoorde een harde, snurkende uithaal. Hij sliep alweer.

Ze had een koffie besteld, daarna nog maar één, en *De Telegraaf* gelezen, die op het tafeltje lag. Ze zat daar al een eeuwigheid voor haar gevoel, toen ze zich opeens realiseerde dat er voor het middaguur uitgecheckt moest worden. Ze keek op haar horloge en zag dat het al tien over twaalf was. Gehaast rekende ze de koffie af; er zat nu nog precies twee gulden vijfentwintig in haar portemonnee.
Zo, vrouw van de wereld dus. Bij de receptie van het Kurhaus bleek dat Victor al vertrokken was. Het meisje wist zich te herinneren dat hij een uur geleden had afgerekend. Maar dan had hij haar daar op het terras laten zitten! Ze had geen idee wat ze moest doen. Geen geld voor de trein, laat staan voor een taxi. Liften vond ze te link. Ze ging maar even over het strand lopen. Misschien zou haar kater wegwaaien en kon ze haar gedachten weer wat op orde krijgen. Want enige helderheid was nu wel geboden, zo in haar eentje om halfeen 's middags zonder geld, op het strand van Scheveningen. Ze wist niet hoeveel strandtenten ze was gepasseerd toen ze hem vanuit de verte meende te zien zitten. Nee, dat kon toch zeker niet waar zijn. Hij zou toch niet doodgemoedereerd hier op een terras zitten! Dat leek zo mogelijk nog erger dan dat hij zonder haar weer huiswaarts was gekeerd. Dan kon er eventueel nog sprake van spoed zijn geweest, misschien dat hij met iets dringends gebeld was.
Zij ook altijd met haar zelfbedachte smoezen voor hem! Ze wist het wel, ze deed het zichzelf allemaal aan. Hij bleek het inderdaad te zijn. Wat stuntelig stond ze voor hem.
Met een vragende blik keek hij naar haar op en vroeg niet of ze erbij kwam zitten.
'Wat doe jij hier nou?' Ze wist niets anders te zeggen.
Hij wees naar zijn kop koffie en het broodje kaas dat ernaast lag. 'Ontbijten.'
Ze was perplex. Ze had al veel met hem meegemaakt, maar dit sloeg wel alles. Ze was te zeer overdonderd om boos te zijn. Misschien had ze iets verkeerd begrepen? Misschien had hij haar verkeerd begrepen toen hij nog half sliep? Dacht hij

misschien dat ze al naar huis was gegaan?
'Ik zat op het terras op je te wachten.'
'Ja.' Hij nam een hap van zijn broodje.
'Nou ja!' riep ze verontwaardigd.
Glimlachend haalde hij z'n schouders op. Elk gesprek was overbodig. Hij wist donders goed van de afspraak, maar had geen zin om iets uit te leggen.
'Ik wil nu wel naar huis,' zei ze.
'Dan moet je dat doen.'
'Victor, wat is er?'
'Niets, hoezo?'
'Ga je niet mee dan?'
'Nee, ik heb net besloten dat ik er nog een paar dagen aan vastknoop hier.' Weer die glimlach. 'Beetje onbestemd gevoel,' voegde hij eraan toe.
'Kun je mij dan misschien wat geld voor de trein lenen, ik heb namelijk helemaal niets meer.'
Voor de vorm keek hij in zijn portemonnee en hij schudde zijn hoofd. 'Nee, helaas, ik heb alleen plastic geld.'
'En hoe moet ik dan thuiskomen?'
'Jij redt je wel.'
Met een ruk draaide ze zich om. Als een kleutertje dat haar moeder kwijt is had ze door een dikke waas, vervuld van schaamte, of was het woede, alle strandtenten van de avond daarvoor weer aan zich voorbij zien trekken, terwijl ze zich probeerde te concentreren op de voetafdrukken die ze in het zand achterliet. Want ze moest door. Naar huis. Alles was onwezenlijk en heel ver weg; de tranen en haar gevoel maakten het surrealistisch. Alsof het haar niet betrof, alsof zij het niet was die dit beleefde. Maar de afdrukken in het zand onder haar lieten zien dat zij het ontegenzeggelijk wel was, die hier liep.
Haar voetafdrukken vormden het bewijs van haar bestaan.
Hij had niet eens aangeboden haar naar het station te brengen.
Na veel zoeken en vragen vond ze uiteindelijk de juiste bus.

Gelukkig had ze net genoeg voor een enkeltje naar station Den Haag. Daar aangekomen was ze maar zo op de trein gestapt. Ze had nog over moeten stappen ook, maar uiteindelijk, om halfvijf 's middags, was ze dan toch nog thuisgekomen. De hele rit had ze gratis gemaakt. Ze was nog nooit zo blij geweest de deur van haar flat achter zich dicht te kunnen trekken. Het enige wat ze wilde was een bad, een enorm warm bad, en langzaam weer tot zichzelf komen. Dat zou vast wel even duren.

HOOFDSTUK 12

Een bericht van Paul. Hij zegt dat hij lang heeft nagenoten van de test. Daarom dit mailtje, om nogmaals te bedanken en te benadrukken dat hij snel weer iets van haar hoopt te horen.
Victor is duidelijk niet van de mails. Lena heeft in ieder geval geen antwoord van hem mogen ontvangen. De eikel.
Ze leunt achterover in haar stoel en schenkt zich nog wat mineraalwater in uit de glazen karaf die ze naast de pc heeft gezet. Even goed oppassen dat ze niet knoeit op haar toetsenbord. Vanmiddag heeft ze ook uitsluitend mineraalwater gedronken. In de zon drinkt ze nooit alcohol, dat komt dubbel zo hard aan. De middag was zo al schokkend genoeg.
Mireille had haar vanochtend gebeld en ze hoorde ogenblikkelijk aan haar stem dat er iets aan de hand was. 'Leen, ik móet je even spreken, niet door de telefoon maar persoonlijk, het liefst vandaag als het kan.'
Ze had zich juist geïnstalleerd in haar atelier, met schone verfkwasten en een nieuw opgespannen doek voor zich. In het hoekje rechts onderin had ze een foto van Gwen geplakt. Ze zou Gwen nu eindelijk eens even heel mooi en fel neerzetten; ze had er echt zin in. Maar Mireilles intonatie maakte duidelijk dat wat ze wilde vertellen onmogelijk kon wachten. Natuurlijk ging haar vriendin voor.
'Is goed, Mireille,' antwoordde ze dan ook, 'zullen we naar het strand gaan? Het is zulk schitterend weer en dan kunnen de kinderen lekker spelen terwijl wij ongestoord praten.'
Ze hoorde de aarzeling in haar vriendins stem. 'Weet je, Leen,

ik ben eigenlijk helemaal niet in de stemming voor iets leuks. Ik wil alleen even met je praten. Serieus praten.'
'Ja, dat snap ik, maar Kim heeft vanmiddag vrij en Lauren is er sowieso natuurlijk. Ik kan niet zo snel opvang voor ze regelen. Bovendien, op het strand hebben we geen kind aan ze. Nergens spelen ze zo intensief als daar.'
'Oké, om twee uur voor De Kust?'

Kim en Lauren hadden het uitgegild van plezier toen ze hoorden dat ze na de boterham naar het strand zouden gaan. Kim was meteen op zoek gegaan naar schepjes, emmertjes en harkjes om grootse zandkastelen mee te bouwen.
Bepakt en bezakt (alsof ze een week op vakantie gingen) bij het strand aangekomen zag ze Mireille direct zitten. Ze zat op een grote, fleurig gebloemde plaid onder een lichtgroene parasol. Toen de kids in zwemkleding waren gehesen en alle plastic vleugeltjes veilig om de armpjes zaten, renden ze joelend naar de waterkant om hun emmertjes te vullen.
Mireille zag er afgetobd uit. Kringen zo mogelijk nog donkerder dan haar ogen, in een lijkwit gezicht.
'Ik zal maar meteen beginnen, want ik moet het echt kwijt. Ik heb al drie nachten nauwelijks geslapen.' Met trillende vingers stak ze een sigaret op. Mireille was toch al een paar jaar geleden gestopt met roken?
Lena's gedachten radend zei ze met een vaal lachje, terwijl ze haar sigaret overeind hield: 'Ja, ik ben dus weer begonnen, sinds drie dagen. Stom hè, maar ja. Zondagnacht kwam Marco thuis. Om kwart over twee pas, ik had de hele avond verschrikkelijk ongerust op hem zitten wachten. Hij had een hockeytoernooi en ik weet natuurlijk dat er daarna gefeest wordt. Vind dat ook geen enkel punt. Maar kwart over twee, dat is toch wat laat, we moesten de volgende ochtend allemaal vroeg weer op. En het was bovendien niet de eerste keer dat hij zo laat thuiskwam, zonder een telefoontje of zo. We hadden woorden gehad de avond ervoor, natuurlijk weer over seks.'

De glimlach die Mireille probeerde werd een rare, vertrokken grimas. Ze was een intens bedroefde clown die voor het publiek vrolijk wilde doen. Heel diep haalde ze adem, alsof anders de lucht haar ontbrak om de woorden eruit te kunnen persen.

'Zodra hij binnen was, vroeg ik waar hij vandaan kwam. Hij ontweek mijn blik en opeens wist ik dat er iets aan de hand was. Iets ernstigs, en ook al die andere keren al, als hij zo laat thuiskwam. Hij liep langs me heen en zei dat hij moe was en naar bed ging. Ik trok wild aan z'n arm; hij mocht me zo niet laten staan. Hij duwde me hard van zich af, ik verloor mijn evenwicht en viel op de grond. Hij mompelde iets van 'jij met je eeuwige regeltjes altijd' en keek me daarbij vol minachting aan. Maar tegelijkertijd volledig langs me heen.'

Ze schudde haar hoofd, alsof ze het allemaal nog steeds niet geloofde. Lena zag de tranen in haar ogen. Mireille vermande zich en ging dapper door.

'Ik schreeuwde dat ik moest weten wat er aan de hand was, en wel onmiddellijk. Ik blufte dat ik het niet van een ander wilde horen, zoals helaas al gebeurd was, maar van hem. Ik wist dat dit de enige manier was om hem aan het praten te krijgen. Verbijsterd keek hij mij aan. Hij vroeg wat ik dan gehoord had, en toen wist ik dat het waar was. Ik loog dat ik was gebeld en dat ik het niet hem ging vertellen, maar hij mij. Goh, ik weet niet waar ik op dat moment opeens die onomstotelijke overtuiging vandaan toverde. Tot mijn verbazing ging hij op de bank zitten en ik pakte de stoel tegenover hem. We zaten werkelijk in een kruisverhooropstelling.'

Mireille liet haar hoofd zakken en sloeg haar handen voor haar gezicht. Het was een hoopje totale ellende dat hier naast Lena op die plaid zat. De fleurige bloemen vormden een schril contrast met de ongetwijfeld verschrikkelijke waarheid. Ze veegde wat vocht onder haar ogen weg. De zwarte mascaravlekken lieten zich niet verwijderen.

'Ik heb me nog nooit zoveel lichtjaren van hem vandaan gevoeld. Hij zweeg heel lang. Met zijn ogen naar de grond

gericht. Sinds we daar zaten, had hij me nog niet aangekeken. En net toen ik dacht dat hij helemaal niets zou gaan vertellen, gebeurde het toch.' Ze hapte naar zuurstof.
'Hij was naar de hoeren geweest. Niet alleen die avond, ook al heel wat keren daarvoor. Ik wist niet wat ik hoorde! Dacht dat ik in een nachtmerrie zat, waaruit ik heel snel moest zien te ontwaken. Het was zo totaal onwezenlijk, mijn Marco met zo'n vrouw! Zo'n vieze vrouw, waar honderden mannen op en onder liggen en ook erin natuurlijk, gatverdamme! Meneer vond het een grote opluchting dat hij het me nu kon vertellen, want hij voelde zich er al zo lang erg schuldig over.'
Ze barstte in een onbedaarlijke huilbui uit.
Lena wist niets te zeggen, ze ging dicht tegen haar vriendin aan zitten en sloeg haar arm om de hevig schokkende schouders. Ze zou ook maar geen woorden proberen te vinden. Mireille moest eerst goed uithuilen. Ze drukte het hoofd met de donkere krullen in haar hals. Tussen haar borsten voelde ze het vocht naar beneden sijpelen.
Een paar meter voor haar zag ze de kinderen blij met de schepjes en emmertjes water in de weer. Ze gingen volledig in hun spel op, zich niet bewust van het leed dat zich een paar stappen van hen vandaan afspeelde.
Lena streelde door de lange, bruine haren van haar vriendin. 'Huil maar even goed uit, lieverd,' zei ze troostend.
Wat voor haar vriendin kennelijk het teken was om daar ogenblikkelijk mee te stoppen. 'Ja, ik mag nu huilen,' riep ze woedend, 'ik doe al dagen niets anders! Die klootzak gaat zijn scheve gang, terwijl hij een vrouw met drie gezonde kinderen thuis heeft zitten, en geloof mij, hij huilt niet, hoor! Wie weet hoe vaak hij de afgelopen dagen al niet naar de hoeren is geweest, hij heeft nu in ieder geval alle kans, want ik heb hem natuurlijk meteen de deur uit gezet.'
Oei, Marco was rigoureus weggestuurd. Hoewel, wat zou Lena gedaan hebben in Mireilles plaats? Reiniers woorden waren haar weer te binnen geschoten. Dat je het nooit zeker wist, een scheiding, en dat het misschien helemaal niet had gehoeven.

'En ik zit mijn kindjes, die natuurlijk niets mogen merken van wat er aan de hand is, zo vrolijk mogelijk te vertellen dat papa voor zijn werk op reis is. Wanneer komt pappie dan weer thuis, wordt er keer op keer gevraagd, en wat moet ik dan zeggen? Het liefst zou ik zeggen: helemaal nooit meer! Wat moet ik nou, Lena?'
Met wanhopige ogen keek haar vriendin haar aan.
Wat moest ze zeggen? Ze voelde dat het hoe dan ook iets moest zijn waar haar vriendin wat aan had. Maar er schoot haar niets te binnen. Die Marco! Hij was wel de laatste van wie ze zoiets verwacht zou hebben.
'Waar zit hij nu?' informeerde ze daarom eerst.
'In een hotel in Amsterdam.'
'En de kinderen hebben hem dus al een dag of vier niet meer gezien?'
Mireille knikte.
Lena voelde een intens medelijden met haar vriendin. De schok was knetterhard aangekomen, logisch natuurlijk. Als een klein, in elkaar gedoken vogeltje zat Mireille stuk te gaan van verdriet. Woorden schoten Lena tekort. Koortsachtig flitsten de gedachten door haar hoofd. Achteraf gezien zou je kunnen zeggen dat ze het wel aan had zien komen. Maar daar had deze gebroken vrouw niets aan. Ze deelden al zo lang geen intimiteit meer. En zij had daar kennelijk geen moeite mee. Maar hij natuurlijk wel, net zoals de meeste mannen. Als ze thuis geen seks krijgen, gaan ze dat uiteindelijk wel halen. Waar dan ook.
'Wat verschrikkelijk, Mireille. En misschien een domme vraag...'
'Ja?' Verbaasd keken de glimmende, donkerbruine ogen naar haar op.
'Had je het verwacht?'
'Verwacht? Hoezo? Nee, natuurlijk niet,' antwoordde Mireille venijnig. 'Hoe kun je zoiets nou verwachten?'
'Nou...'
'Lekker makkelijk, mannen krijgen ook geen kinderen,' wierp

Mireille er tussenin. 'En hoeven ook niet de hele dag voor ze te zorgen. Ze zijn ook niet kapot 's avonds. Ik heb overdag wel genoeg lichamelijke oefening gehad.'
Ja, allemaal waar. Maar dat loste niets op. Als vriendinnen moest je eerlijk zijn tegenover elkaar, vond Lena. Het was niet gemakkelijk dit, maar het moest. 'Jullie hadden al heel lang geen seks, toch?'
'Alsof dat het belangrijkste is een relatie.' Haar vriendin voelde zich duidelijk aangevallen.
'Voor Marco is het belangrijker dan voor jou.'
Mireille was nu nog veel te boos op hem, maar als ze weer thuis was, moest ze er misschien nog eens goed over nadenken. Ze moest haar iets meegeven om over na te kunnen denken.
'Weet je, Mireille... misschien heeft Marco het zelfs nog wel netjes gedaan.'
Strak keek Mireille haar aan. 'Verontwaardigd' was hierbij beslist een eufemisme.
'Ja, ik bedoel, hij had ook een vriendin kunnen nemen. Maar hij koos ervoor om naar de hoeren te gaan. Dat is in ieder geval anoniem, safe en zonder emoties.'
Ze wist niet dat ze zo rationeel kon zijn. Ze vroeg zich af of het niet compleet verkeerd was wat ze had gezegd. Misschien te snel samengevat; te kort door de bocht.
'Nou, Lena, dit antwoord had ik van jou als laatste verwacht! Jij noemt het zelfs nog netjes ook wat hij heeft gedaan?' Mireille wierp haar een minachtende blik toe en keek weer strak voor zich uit.
'Nee, maar ik bedoel dat je moet proberen om het van verschillende kanten te bekijken. Hij houdt van je en jij van hem. En de kinderen kunnen toch ook niet zonder hun vader?'
'Dat valt anders nog te bezien; fijne vader.'
Lena grabbelde in haar tas naar sigaretten. Ogenblikkelijk hield Mireille haar pakje voor. Lena's vingers trilden toen ze er een uit pakte. Ze inhaleerde de rook diep en blies langzaam een dikke, witte wolk tegen de strakblauwe lucht. Ze walgde

opeens van de tabakssmaak, maar dit was niet het moment om over stoppen met roken na te denken.
'Geef het allemaal wat tijd, net zo lang als je nodig hebt. Er staat zoveel op het spel. In emotie moet je nooit belangrijke stappen zetten. Laat het bezinken, en denk erover na.'
Even ademhalen, dan gauw weer een grote trek, die net zo vies smaakte als de vorige. Zei ze dit wél goed zo? 'In de tussentijd vind ik overigens wel dat je hem af en toe wat tijd met jullie kinderen moet gunnen. Die zijn tenslotte ook van hem, en dat staat los van de problemen die jullie samen hebben,' had ze er nog aan toegevoegd. Hard moest het voor Mireille hebben geklonken. Keihard. Haar vriendin was dan ook helemaal niet blij geweest met haar reactie, dat was wel duidelijk. Het was echter de enige die zin had in Lena's ogen. Natuurlijk had ze met haar mee kunnen huilen en honderd keer kunnen zeggen wat een enorme klootzak Marco wel niet was, maar dat had nergens toe geleid. En bovendien was hij dat ook niet, anders was Mireille nooit met hem getrouwd. Het was een leuk stel, een beetje burgerlijk, dat wel, maar dat had hen nu misschien juist ook opgebroken. Dat huisje, boompje, beestje en vadertje en moedertje spelen. Ze moesten weer leren communiceren met elkaar, was haar overtuiging, voor zover ze dat natuurlijk van buitenaf kon inschatten.

Over communiceren gesproken. Ze kan er nu toch verder niets aan doen en hoopt alleen maar dat Mireille de kracht en de wijsheid heeft om de situatie van verschillende kanten te bekijken. En dat ze haar belt als ze daar zin in heeft. 'Al is het midden in de nacht,' had ze nog gezegd bij het afscheid.
Heerlijk, witte wijn met dit weer. Dat water komt haar inmiddels de neus uit en ze heeft wel een glaasje verdiend na deze enerverende middag. Ze heeft zin om de dag nog een eigen tintje te geven. Ze zou Paul kunnen antwoorden, maar besluit om dat niet te doen. Zijn bericht is nog maar een paar uur oud. De vorige keer was eenmalig leuk. Msn'en is passé. Af en toe een berichtje, voor de gezelligheid. Ze wil wel contact blij-

ven houden, op afstand. Ze gaat Victor nog maar eens een mail sturen. Want waar haalt hij eigenlijk de onbeschoftheid vandaan om haar zo vriendelijk bedoelde bericht niet te beantwoorden?
Ze schrijft geen aanhef. En ook geen ondertekening. Hij ziet vanzelf aan de afzender dat zij het is.

Huh? Geen antwoord? is het enige wat ze tikt. Drie woorden zijn genoeg voor hem, en eigenlijk natuurlijk al drie te veel. Maar ze gaat ze lekker versturen. Misschien maken drie woorden scheepsrecht? Resoluut drukt ze op 'verzenden'. Zo, geen weg meer terug, het is al verstuurd. Heel gemakkelijk, die e-mail.

HOOFDSTUK 13

Met een lamlendig gevoel was ze vanochtend al opgestaan. Ze voelt zich wel héél erg lusteloos, alsof iedere vorm van leven haar vezels verlaten heeft. Ze neemt een slok koffie, geen zin om te schilderen ook. En ze zou vanmiddag met Gwen gaan shoppen, dus zoveel tijd is er niet. Ze heeft zich voorgenomen Gwen niets te vertellen over het plan om haar te schilderen; eerst maar eens kijken of het wil lukken. En vanochtend gaat dat in ieder geval niet gebeuren, ze mist elke inspiratie. Ze ziet weer vlagen van de droom die ze vannacht had. Nou, droom. Ze had beelden gezien van Marco die de liefde bedreef met iets wat nog het meest op een monster leek.
Ze wil er niet meer aan denken ook. Eigenlijk wil ze Mireille bellen, maar die zal vermoedelijk aan het werk zijn en bovendien, er is waarschijnlijk toch geen nieuwe ontwikkeling sinds gisteren.
Ze bladert door haar agenda, o zie je wel, ze moet een dezer dagen ongesteld worden. Vandaar dat lusteloze rotgevoel. Ze heeft zelfs haar e-mail nog niet geopend. Veel te bang dat er niets is. Victor heeft natuurlijk niet geantwoord. Ze schaamt zich voor haar belachelijke actie van gisteravond. Ze loopt maar aandacht te zoeken en voelt zich vervolgens afgewezen als daar niet op gereageerd wordt. Ze doet het zichzelf aan. Dus ze gaat niet kijken ook.
Kim blijft vandaag over op school en wordt daarna opgehaald door oma, die ook Lauren bij zich heeft de hele dag. Ze is dus vrij tot zes uur. Vrij en niets te doen. Ja, behalve dat shoppen dan, waar ze ook geen enkele zin in heeft. Ze sjokt naar de

droger, haalt de schone was eruit en legt die op de keukentafel. Niks strijken, ze gaat het allemaal netjes opvouwen. Terwijl ze met een shirtje van Kim bezig is, domineert nieuwsgierigheid haar verstand. Impulsief rent ze naar de pc.
Haar mailbox geeft aan dat er twee berichten zijn. Van Victor? Natuurlijk niet. Van Mireille. En van Jim2082@hotmail.com. Wie mag dat zijn?
Eerst Mireille. Het tijdstip van ontvangst is kwart voor twee 's nachts. Ze schrijft dat ze aan haar zesde glas wijn zit en zich erg rot voelt. Uit de tikfouten en de zinsopbouw blijkt de gemoedstoestand van haar vriendin. Mireille moet continu janken en ze vraagt zich af waar ze al die tranen vandaan haalt. Ze wist niet dat ze zoveel rivieren bij elkaar kon huilen. Daarom moest ze wel veel wijn drinken, want dat vocht moet uiteraard weer aangevuld worden. De schat, ze probeert nog een grapje te maken ook, in al haar ellende.
Wat een sukkel is die Marco toch ook. Wat doet hij zijn vrouw aan, die het allemaal zo goed bedoelde? En hun kinderen. Ze moet morgenochtend al om zeven uur werken, staat er. Ze heeft geen idee waar ze de energie vandaan moet halen, maar ze gaat wel. Zal ook wel een goede afleiding zijn, misschien.
Lena zucht. Dappere Mireille. Hoe moet ze haar helpen? Maar ze kan haar niet helpen. Ze gaat haar vanavond wel bellen. Dat is het enige wat ze kan doen. De uurtjes alleen, als de kinderen in bed liggen, vallen haar natuurlijk het allerzwaarst. Midden in de lange mail staat dat ze razend is op Marco, en dat het nooit meer goed komt. Mireille wil hem nooit meer zien; naast zijn lichamelijke bedrog is het geestelijke verraad evenredig groot, en ze weet niet wat ze erger vindt.
Tot slot vraagt ze of Lena het alsjeblieft nog aan niemand wil vertellen. Dit zou kunnen betekenen dat ze ergens een opening laat. Ach, die hele mail is een toonbeeld van verwarring. Ze hoopt maar dat Mireille haar altijd blijft mailen, dan kan ze op die manier haar gevoelens en haar gedachten misschien op een rij krijgen. Dat moet ze niet vergeten tegen haar te zeggen, vanavond. Nee, ze mailt het nu meteen. Dan heeft Mireille in

ieder geval een antwoord als ze straks thuiskomt. Ze weet zelf hoe rot het voelt als je geen reactie krijgt.
Lena houdt het kort. Ze zegt zeer met Mireille mee te leven en benadrukt nog eens dat ze vooral moet blijven mailen of bellen als ze daar behoefte aan heeft. Nooit moet aarzelen, al is het midden in de nacht. En dat Lena er natuurlijk met niemand over zal praten, zelfs niet met Marcel. Zelfs niet met Marcel? Is dat eigenlijk niet wat raar? Ach nee, er zijn inmiddels wel meer dingen die ze niet met hem bespreekt.
Melancholiek denkt ze terug aan de tijd dat ze nooit kon wachten om hem iets te vertellen. Alles wilde ze met hem delen. Wanneer is dat eigenlijk weggegaan?
Wanneer en waar is ze dat gevoel van ultieme intimiteit kwijtgeraakt, en waarom?

Tweede bericht: *Geachte msn'er*, staat erboven. Is zij een msn'er? Ze heeft wel eens gehoord van de praktijken van 'de Microsoft-bende', zoals Bill Gates en de zijnen schertsend door Marcel wordt genoemd. Is haar e-mailadres die ene keer meteen gematched met de database van msn.nl?
Zodat ze haar nu met spam gaan bestoken? Heel vreemd.
Nog vreemder is de tekst eronder.

Alle msn'ers hebben hotmail. En alle hotmailers willen veel. Meer dan het normale leven hun bied. Met hun dagelijks leven komen ze er niet. Laat dit een waarschuwing zijn. Dan blijft het gewoon en fijn.
Uw goedbedoelende Jim.

Nou ja! Wat is dit voor een randdebiliteit? Ze hoeft zich in ieder geval niet aangesproken te voelen, want zij heeft niet met haar hotmailadres ge-msn't. Alsof ze zich anders wel aangesproken zou voelen. Van msn kan dit toch nooit afkomen. Daarbij staat er een taalfout in. Merkwaardig. Vanavond stuurt ze Paul wel een mail terug. Kan ze meteen vragen of hij dit bericht ook heeft ontvangen.

'Wat vind je, Leen?' Gwen wringt zich in allerlei bochten om ook de achterkant van het Marc Cain-jurkje in de spiegel te kunnen zien.
'Ik vind hem helemaal leuk, hij staat je echt geweldig!' antwoordt ze naar waarheid.
'Mooi dan, inpakken en wegwezen; op naar de bubbels!' lacht Gwen, duidelijk in haar nopjes met de nieuwe aanwinst. De energie straalt aan alle kanten van haar vriendin af.
In tegenstelling tot haarzelf. Ze heeft nog steeds de drive niet te pakken en die zal vandaag wel niet meer komen ook.
'Zullen we voor de gelegenheid maar een fles doen?' vraagt Gwen met twinkelende ogen.
Lena aarzelt. Nee, een halve fles zou haar geen goed doen in deze stemming. Dat zou ongetwijfeld verkeerd vallen. Ze wil voor de gezelligheid wel een glaasje meedrinken, maar meer dan één, nee.
Ze doet een poging tot glimlachen en schudt haar hoofd. 'Ik houd het bij één glas, om je aankoop te vieren. Ik heb straks nog een afspraak op school met de juf van Kim, dan kan ik maar beter geen kegel hebben.'
Leugentje zonder bestwil, want ze kan natuurlijk niet vertellen waarom ze zich zo down en onbestemd voelt. Ze heeft Mireille beloofd er met niemand over te praten, en het feit dat ze 'opoe op bezoek krijgt' zou te idioot zijn om serieus als reden aan te halen. Aparte omschrijving eigenlijk. Zo'n spreuk van haar moeder, maar hij klopt wel. Vandaag in ieder geval wel.
'Nou, vooruit dan, beter iets dan niets. Bovendien kan ik ook beter nuchter blijven, want ik heb straks een eetdate. En weet je met wie?' Uitdagend lichten de blauwe ogen op.
Geen idee. De hele wereld zou wel met Gwen willen afspreken, dus het kan werkelijk iedereen zijn.
Vragend haalt Lena haar schouders op.
'Met Dries!' jubelt haar vriendin. 'Je weet wel, die we laatst zagen tijdens het eten!'
'Was die niet getrouwd?' Ze weet geen ander antwoord.

'Ja, wat maakt dat nou uit? Hij belde mij, hoor, ik niet hem. Het is zijn verantwoordelijkheid, niet die van mij. Hij wilde met me uit eten. Hij had me gemist en wilde alles van me weten. Alles, zei hij, en hij verheugde zich in het bijzonder op het overheerlijke toetje, dat alleen ik hem kon geven! Leuk hè! Vind je het niet enig? O, ik heb er zó'n zin in!' Gelukzalig kijkt Gwen haar aan.
Nou, geweldig. Ze vraagt zich af of het wel zo is wat Gwen zegt, dat het haar verantwoordelijkheid niet is. Ze twijfelt, maar komt er niet uit. Precies hetzelfde gevoel dat haar ook na het etentje met Gwen in die kroeg overviel, bekruipt haar nu weer. Weer dat lege, kille, en alleen maar heel snel naar huis toe willen. Naar de beschutte veiligheid van haar gezin. Ze wil haar kinderen ophalen, ze oneindig knuffelen en ze wil Marcel heel dicht tegen zich aan voelen. Voor de vorm kijkt ze op haar horloge, drinkt in één teug haar glas leeg en springt verschrikt op.
'Oei! Gwen, ik vind het enig voor je, maar ik moet nu rennen, het is al halfvier en over een kwartier moet ik op school zijn.' Ze legt een tieneurobiljet op de tafel en drukt een kus op het verbouwereerde gezicht van haar vriendin.
'Heel veel plezier vanavond.'
'Leen, er is toch niets?' hoort ze haar vriendin nog informeren als ze al bijna bij de uitgang is.
'Nee, lieverd, ik moet vliegen, tot gauw,' roept ze terug. Ze maakt een kushandgebaar en loopt de deur uit. Het zonlicht verblindt haar even.
Gatverdamme, gaat de hele wereld vreemd dan?

HOOFDSTUK 14

Lena bestudeert vanavondoptv.nl, op zoek naar een programma dat ze zou willen zien.
Vanavond maar eens geen computer, geen mails. Ouderwets een avondje bankhangen; het zou toch moeten lukken. In het overvloedige programma-aanbod ziet ze niets wat haar direct aanspreekt.
Ze wil verstrooiing, eens nergens aan denken. Liefst iets in een tot de verbeelding sprekende omgeving. De herhaling van een programma van een paar jaar geleden is het enige wat in de buurt lijkt te komen. Het is in Brazilië opgenomen en dat klinkt zonnig warm, precies waar ze nu behoefte aan heeft.
Ze loopt de woonkamer in en zet de tv aan.

De smalle hand van een frêle, lichtbruin getinte arm duwt elegant een liaan opzij. Een hartvormig gezichtje waarin elk spoor van make-up ontbreekt wordt zichtbaar. De lange, donkerbruine haren heeft ze nonchalant opgestoken in een geïmproviseerde knot. Haar bruine ogen glinsteren koortsachtig. Op haar wangen plakken een paar uit de haarbundel losgeraakte pieken.
Het meisje moet even stoppen en neemt een slok uit het buikflesje waar vermoedelijk water in zit. Met haar vrije hand veegt ze over haar voorhoofd.
'Kom op, doorgaan!' klinkt een mannenstem bevelend achter haar.
De lange, welgevormde benen zetten zich weer in beweging. Tussen de korte tropenbroek en de om haar borsten geknoop-

te shawl van panterprint worden de zonnestralen door het naveldiamantje in haar strakke buik weerkaatst.
De camera zoomt verder uit.
Achter haar lopen drie jongens, net als zij beginnende soapacteurs, in ruime bermudashorts met het bovenlijf ontbloot. Ze doen hun best de pas er zo goed mogelijk in te houden.
Dan volgt er een tijdje niets.
Een waggelende vrouw blijkt het rijtje af te sluiten, ze kan de ene voet nauwelijks voor de andere zetten. Zo op afstand lijkt het alsof ze een borrel te veel op heeft. Niets is minder waar, want deze presentatrice is overtuigd geheelonthoudster, weet Lena.
De camera zoomt in op haar stevige gympen en beweegt close omhoog. De rimpels boven haar knieën en de ruim vibrerende huid rondom de dijen verraden haar leeftijd. Over de rand van haar iets te strakke sportbroek bewegen de plooien van haar buik met elke stap mee. Het kleurige topje weet de bruine vlekken in haar decolleté niet volledig te verbergen.
Diepe plooien lijken de mondhoeken vanaf haar neus naar beneden te duwen. Het vocht dat in straaltjes over haar wangen gutst, veroorzaakt zwarte mascaravlekken.
Haar groene ogen staan wanhopig. Minstens zo desperaat als die ochtend, blijkt uit de flashback, toen ze door de rest van de groep tot de orde werd geroepen. Iedereen ergerde zich mateloos aan haar betweterijen, werd haar op niet mis te verstane wijze duidelijk gemaakt, terwijl ze aanvankelijk zo genoeglijk gezamenlijk aan het ontbijt zaten. De camera registreerde meedogenloos de schrik in haar vlak daarvoor nog zo zorgvuldig opgemaakte ogen. Professioneel als ze is had ze, gebruikmakend van haar door de jaren opgedane wijsheid, geprobeerd het gesprek mild in goede banen te krijgen. Maar er was geen kruid tegen gewassen. De woordenwisseling ontaardde in een schreeuwpartij, waarbij geen enkele banaliteit werd geschuwd. Met vermoedelijk de kijkcijfers in haar achterhoofd, had ze de kanonnade uiteindelijk maar zwijgend over zich heen laten komen. Als er dan toch iemand de zon-

debok moest zijn, dan zij maar.
En nu moet ze op deze manier weer afzien. Lena bedenkt dat deze presentatrice op leeftijd ongetwijfeld veel spijt heeft gehad van de toezegging om haar medewerking aan dit programma te verlenen. Ze had zich vast verplicht gevoeld omdat ze nog wel onder contract stond bij de zender, maar al tijden geen programma meer had. Eigenlijk uitgerangeerd leek te zijn. Waarschijnlijk had ze gehoopt met deze bizarre overlevingsexpeditie haar carrière een nieuwe impuls te kunnen geven.
De uitspraak die Lena als puber in een boek van haar moeder las, en die haar voldoende intrigeerde om nooit meer te vergeten hoewel ze er indertijd de volledige betekenis nog niet van overzag, schiet haar nu weer te binnen:
'Als ze jong is moet een vrouw mooi zijn om succes te hebben, daarna moet ze succes hebben om mooi te blijven,' aldus Françoise Sagan.
Deze vrouw is duidelijk aan te zien dat haar succes tot de voltooid verleden tijd behoort.

Om haar blik af te wenden, bekijkt Lena haar arm. De huid heeft zich daar samengetrokken tot kleine pukkeltjes van waaruit de haartjes als miniraketjes op lancering lijken te wachten.
Ze heeft er genoeg van ook, van deze vorm van aapjes kijken.
Ze zapt maar eens naar een van de publieke omroepen, daar is een swingend rapdebat gaande.
Dat is in ieder geval vernieuwend.

HOOFDSTUK 15

De zon begint langzaamaan rood te worden.
Op het strand spelen nog een paar kinderen, twee moeders zijn druk doende schepjes, harkjes, emmertjes en zandvormpjes te verzamelen.
Lena kijkt naar de plek waar ze vorige week nog met Mireille zat. Die is nu leeg.
Dit heeft ze altijd het mooiste moment van een zomerse dag gevonden. Als de zon haar kracht nagenoeg heeft verloren en zich opmaakt om in de mooiste kleuren te verdwijnen. 'De zon gaat slapen,' zoals ze altijd tegen Kim en Lauren zegt.
'Ik wil patat met mayo!' juicht Kim.
'Kwil patta maajoo,' papegaait Lauren haar zuster na.
Marcel bestudeert het menu. Zij hoeft de kaart niet te zien, ze bestelt vrijwel zonder uitzondering hetzelfde op een mooie dag als deze: salade Niçoise met veel stokbrood.
Ze neemt een slok van de frisse sauvignon. Dit is geluk. In chocoladeletters. Iets mooiers dan dit is niet denkbaar. Samen met haar gezin relaxed op een strandterras genieten van een zwoele zomeravond. Met haar dochters en Marcel voelt ze zich zo ontzettend bevoorrecht. Wat ziet hij er eigenlijk nog aantrekkelijk uit, zo met dat Ralph Lauren-shirt nonchalant over die vale spijkerbroek. Blote voeten in naturelkleurige mocassins. Dat licht zeegroene van de polo kleurt goed bij zijn al wat gebruinde gezicht, waar zijn blauwe ogen helder in uitkomen. Zijn haar een beetje in de war, en tussen de blonde plukken zijn hier en daar al wat grijze streepjes zichtbaar.
Ze valt haar hele leven al op blond. Al haar ex-vriendjes

waren blond, Marcel is blond, Victor ook, en Paul is trouwens ook blond. Nu ja, middenblond, en was.
Zou dat komen omdat ze zelf zo donker is? 'Exotische kat', noemde Reinier haar vroeger altijd. Kat vanwege haar felgroene ogen. En Reinier valt op katten. Hij heeft altijd iets gehad wat hem anders maakte. Anders, ze weet niet te definiëren hoe anders. Ze heeft nog geen e-mail van hem gekregen met de voorwaarden voor de expositie. Opeens schiet het haar te binnen dat dit ook helemaal niet zou kunnen. Ze hebben geen adressen uitgewisseld! Och, het e-mailadres van de galerie heeft ze zo achterhaald, ze zal hem morgen wel een bericht sturen, dan heeft hij meteen haar adres. Zodra er wat formeel op papier staat, is dat een bevestiging dat de expositie gewoon doorgaat. Want ze durft het nog steeds niet te geloven. Misschien heeft Reinier zich bedacht? Niet zo piekeren, voor nu is het enige wat telt dat ze haar gezin heeft. Dat ze gelukkig zijn samen, en gezond. Er is al ellende genoeg. Een siddering flitst door haar heen: kippenvel. Ze slaat haar vest om zich heen. Ze heeft Marcel nog niets verteld over Mireille en Marco. Dat gaat ze wel doen, maar nu nog maar even niet. Dat heeft ze haar vriendin tenslotte ook beloofd.
Marcel tuurt naar de zee. Ze realiseert zich dat hij sinds de bestelling niets meer heeft gezegd. Hij is in gedachten verzonken.
'Waar denk je aan?' De vraag die ze nooit had willen stellen omdat die zo overduidelijk aangeeft dat de communicatie voor een van beide partijen niet goed verloopt, en dat die partij dat oplost door zich wel zeer afhankelijk op te stellen, floept er zo in één keer uit.
Verrast kijkt Marcel haar aan. 'Originele vraag. Verdient een origineel antwoord. Nergens aan dus,' glimlacht hij flauwtjes en hij richt zijn blik weer op de zee. 'Ik zit te genieten,' voegt hij er nog aan toe.
Hm, hij is nooit zo stil, althans nooit zo lang.
Met grote vaart vliegt Kims limonade over de tafel. Slagvaardig redt Lena de mobiele telefoon van Marcel, die in het

midden lag. Ze klapt hem open om het vocht ertussenuit te wrijven. Terwijl ze met een servetje de toetsen droog poetst, schakelt het apparaatje aan. Op de display ziet ze een envelopje verschijnen. Een bericht dus voor Marcel. Wat gek eigenlijk dat zijn telefoon uit staat. Die is nooit uit. Waarom nu wel?

'Er is een sms'je voor je, Mars.' Ze hoopt dat het nonchalant klinkt. Ze wil helemaal niet overkomen als de achter-dochtige echtgenote die ze zich langzaam maar zeker begint te voelen.

Marcel kijkt haar ongeïnteresseerd aan. 'O ja? Nou, komt wel, hoor. Ik ben nu niet aan het werk.'

Ze is perplex. Dit heeft hij nog nooit gezegd. Deze zin leek in zijn vocabulaire niet voor te komen. Marcels werk is zijn grote liefde. Of is er soms nog een liefde? Die nu dat berichtje heeft gestuurd, bijvoorbeeld? Razendsnel schieten de gedachten door haar hoofd. Zou Marcel ook...? De hele wereld lijkt het immers te doen. Zijzelf begint er ook al voor te voelen. Ach welnee, ze ziet spoken. Hij zou dat niet doen, is daar helemaal geen type voor. Maar waarom eigenlijk niet? Vond ze dat ook niet van Marco? Hij was ook de laatste van wie ze dat had verwacht. En wanneer ben je er eigenlijk een type voor? Wat voor type ben je dan?

'Misschien is het wel niet je werk,' probeert ze schertsend te zeggen. Alsof ze een grapje maakt.

'Tja, wie zal het zeggen,' antwoordt hij, duidelijk met zijn gedachten elders. Mijlenver weg. Waar zit hij, of beter: bij wie?

Is hij wel 's avonds op zijn werk? Als ze hem sporadisch belt, is dat altijd op zijn mobieltje. Hij kan dan overal zijn. Die laatste keer dat hij in Duitsland zat en sms'te dat hij kapot was en naar bed toe ging, was dat wel zo? Dat hij om kwart over tien al ging slapen, komt haar nu uiterst ongeloofwaardig voor. Ook al nam ze dan niet op, vroeger zou hij het zeker vanuit bed nog een paar keer geprobeerd hebben om haar een nachtkus te geven. Hij zou zelfs bezorgd zijn geweest dat ze niet opnam, hij wist toch ook dat de telefoon naast haar bed stond?

En nu, deze prachtige avond op het terras aan het strand. Zelfs de kinderen zitten rustig met elkaar te spelen. Dit zou het moment bij uitstek moeten zijn om weer eens uitgebreid bij te praten. Volledig in elkaar op te gaan en samen te genieten, ja het zou romantisch kunnen zijn. Maar het is goed beschouwd zelfs niet gezellig. Ze zitten te genieten, dat wel, maar ieder apart.
De ober dekt de tafel en zet het bestelde voor hen neer. Hij serveert een familie, zo moet het er voor hem uitzien, een familie doorsnee, waarvan de ouders elkaar niets meer te melden hebben. Verbeeldt ze het zich of ziet ze medelijden in zijn ogen? Bijna verontschuldigend wenst hij hun smakelijk eten.
'Heerlijk,' zegt Marcel en als een uitgehongerde wolf werpt hij zich op de scampi's.
Zij snijdt de knakworstjes voor Kim en Lauren in stukjes en prikt wat in haar salade. Haar eetlust is met de zon vertrokken.
'Hm, lekker, hè mam,' zegt Kim met volle mond.
Ze ziet drie genietende gezichten volledig geconcentreerd het voedsel in hoog tempo naar binnen werken.
'Heerlijk, schat,' zegt ze. Heerlijk.

HOOFDSTUK 16

Paul had vanochtend haar mail beantwoord. Ja, die Jim bleek een bekend probleem te zijn. Paul msn'de wel vaker en dan kreeg hij ook geregeld een idioot bericht van 'de goedbedoelende Jim'.

Lena was blij met Pauls antwoord. Het stelde haar gerust, ze hoefde zich geen zorgen te maken. Ze had nog overwogen om het aan Marcel voor te leggen, maar had besloten dat niet te doen. Dan zou ze ook moeten vertellen over haar contact met Paul en ze vond het wel prettig om dat voor zichzelf te houden. Waarom wist ze ook niet. Misschien omdat zij nu ook iets van haarzelf had. Alleen van haar. Alles wat ze deed was al met en voor Marcel en de kinderen. En het bezorgde haar zo'n warm gevoel, die exclusieve aandacht voor haar persoontje.

Paul had er een lange mail van gemaakt. Begeesterd vertelde hij over een training die hij onlangs in Nijmegen had gevolgd. Hij bleek een groot fan van terreinwagens, waarbij de Landrover zijn favoriet was. Het was zijn droom geweest om geselecteerd te worden voor de Landrover G4 Challenge. De deelnemers zouden gedurende vier weken in dikwijls barre omstandigheden de strijd met elkaar aangaan. Het ging niet alleen om het 4 x 4 rijden, navigeren en oriënteren; sporten als kajakken, mountainbiken en abseilen kwamen er ook aan te pas. Maar de Challenge was geannuleerd en gewone rally's rijden vond hij ook leuk, misschien dat ze een keer met hem mee wilde? Daaronder schreef hij het natuurlijk te begrijpen als dit haar te ver zou gaan, maar dat zijn vraag werd ingegeven door

zijn passie. En dat hij die passie graag met iedereen wilde delen. Misschien dat ze anders eens konden gaan eten, om eens echt goed bij te praten. Die correspondentie was toch wat onpersoonlijk.
Pauls geschreven woorden zouden door Victor uitgesproken kunnen zijn. Ze lijken dezelfde stijl te hebben. Maar Paul blijkt een avontuurlijke, stoere bink te zijn en daarover is ze blij verrast. En zijn uitnodiging om eens een rally mee te rijden, nog meer. Daar moet ze zich maar niet aan wagen. Een keer gaan eten kan misschien wel.
Zijn lieve, gepassioneerde bericht had haar als een warme vloedgolf overspoeld, want het was wat stilletjes koud in haar de laatste dagen, en het etentje gisteravond aan het strand had het er niet beter op gemaakt.
De maaltijd was stilzwijgend verlopen. Toen ze uiteindelijk op weg naar huis aan Marcel vroeg of er soms iets aan de hand was, had hij niet verbaasd gereageerd. Hij wist kennelijk wat ze bedoelde.
'Laat me maar even,' had hij geantwoord, 'ik zit met iets op m'n werk. Dat heeft wat tijd nodig, komt wel goed.'
O. De tijd dat hij nog uitgebreid zijn zakelijke problemen met haar besprak, was kennelijk ook al voorbij. En ze wist dat als hij iets niet wilde vertellen, het geen enkele zin had om het uit hem proberen te trekken. Het zou alleen maar irritatie opleveren. Geen ruzie, uitsluitend onderhuidse verwijten. Koude oorlog.
Ruzie is beter, veel beter. Maar ze weet niet eens meer hoe dat moet. Het wordt de hoogste tijd voor wat oefening hierin. Ze zal gauw ruzie met Marcel gaan maken, misschien dat de lucht dan wat opklaart. Eerst een knallende ruzie en daarna, gestimuleerd door de tot immense hoogte gestegen hoeveelheid adrenaline, het hartstochtelijk weer goedmaken. Ze besluit om vanavond eens geen dvd te huren. Even wat doorbreken in de zaterdagse routine. Ha! Te absurd dat het niet huren van een dvd een doorbraak zou betekenen. Maar een flinke ruzie kan dat misschien wel.

De mensen op straat lijken zonder uitzondering supergelukkig te zijn. Ze ziet felgekleurde zomerjurken, zonnebrillen en lachende gezichten. Stelletjes die hand in hand de buitenwereld uitbundig laten zien dat niemand heeft wat zij samen delen.
De winkel op de hoek heeft de bloemen in grootse, oranje bakken buiten gezet. Met de donkerrode zonneschermen in het goudgele licht schreeuwt dit tafereel erom in een schilderij vastgelegd te worden. Dit beeld moet ze vasthouden, het is te mooi om niet te schilderen. Jammer dat haar mobiel geen goede foto's kan maken, het is de hoogste tijd voor een betere variant.
Opeens ziet ze hem. Hij loopt aan de andere kant van de straat. Ze ziet het aan zijn tred. Zijn bovenlichaam licht gebogen, alsof hij haast heeft. Ook al ziet ze alleen zijn rug, ze zou hem overal uit duizenden herkennen. Ze wil direct de straat oversteken, wat niet lukt niet omdat de auto's elkaar in hoog tempo opvolgen. Er lijkt geen einde aan te komen. Als ze eindelijk de weg over kan, ziet ze in de verte zijn gestalte steeds kleiner worden. Nog even en hij is verdwenen. Ze merkt dat ze rent. Ze rent zo hard als ze kan. Haar hart klopt in haar keel en de steken in haar zij dwingen haar te stoppen als ze bijna bij hem is.
'Victor!' roept ze zo hard ze kan. Maar hij kijkt niet om. Natuurlijk niet. Hij zou haar stem ook uit duizenden herkennen en hij wil geen contact meer met haar. Ze kan hem nu meteen vragen waarom. Misschien hoort hij haar niet. Nog maar even rennen dan, er zit niets anders op. Buiten adem, met haar tong op haar schoenen, heeft ze hem bijna ingehaald. Ze loopt nu vlak achter hem. Het voelt sensationeel zo dicht bij hem te zijn, zonder dat hij zich daarvan bewust is. Haar hart lijkt door haar mond naar buiten te willen. Ze probeert eerst in ieder geval een klein beetje op adem te komen. Echt heerlijk om zo dicht bij hem te zijn. Ze kan zijn warmte haast voelen en zijn geur haast ruiken. Ze voelt zich een spion, een voyeur, of nee, erger nog, het voelt alsof ze nu een soort

macht over hem heeft, nu hij zo totaal onschuldig en onwetend voor haar loopt. Ze zou hem van achteren aan kunnen vallen. Iets verschrikkelijks met hem kunnen doen. Het is een rare gewaarwording. Is dat dan wat ze wil? Nee toch, kom op zeg! Ze tikt op zijn rechterschouder.
Een gezicht dat ze nog nooit heeft gezien kijkt geschrokken om. Oef! Als een onnozel schaap staat ze de man aan te staren.
'O, neemt u me vooral niet kwalijk, ik dacht dat u iemand anders was,' weet ze uiteindelijk uit te kramen.
De man lacht begrijpend. 'Geeft niets, dat kan iedereen gebeuren,' zegt hij en hij vervolgt zijn weg.
Verslagen staat ze op de stoep. Iedereen lijkt langs haar heen te willen. Het is druk op de stoep. Net zo druk als op de straat.
'Kan iedereen gebeuren,' zei de man. Ja iedereen, maar haar toch niet? Toch zeker niet als het om Victor gaat? Ze kijkt nog een keer om. Ze ziet nu dat die man van geen kanten op hem lijkt. Ze zucht. Dan nu op naar de galerie, precies zoals ze aanvankelijk van plan was. Ze vond het bij nader inzien beter om Reinier persoonlijk haar e-mailadres te geven, en dan kan ze meteen de galerie even zien. Komt veel beter over. Wat is er met haar aan de hand? Belachelijk dat ze in die vreemde man Victor meende te herkennen.

Ze opent de deuren van het pand dat in de eerste jaren van de vorige eeuw gebouwd moet zijn en betreedt de hoge, lichte ruimte. Alles is wit. De muren zijn wit. Op de grond ligt wit marmer. In het midden staat een lange, rechthoekige kloostertafel, witgelakt. Hoge witte stoelen eromheen. De muren zijn leeg, er hangt niets. Ze laat haar blik door de serene ruimte gaan.
Het is duidelijk dat alles hier om de kunst draait. Er is niets dat de aandacht van de schilderijen af zou leiden. Als er iets zou hangen tenminste. Aan het einde van de ruimte, die zich nog het best überluxe laat omschrijven als een zeer luxe witte

pijpenla, ziet ze ingepakte schilderijen staan. Reinier is dus collecties aan het wisselen. Maar waar is hij? Hoewel de bel keurig ingetogen dingdongde toen ze binnenkwam, is er kennelijk niemand die zich geroepen voelt om te kijken wie al dit wit komt bevuilen. Want het kan niet anders dan dat het hier snel viezig wordt. Een lichte voetafdruk op dit maagdelijke marmer zou al een kwalijk in het oog springende dissonant zijn. Voorzichtig loopt ze verder. Wauw! Dat straks haar schilderijen hier mogen hangen! Ze kan het zich nog niet voorstellen. Als ze had geweten wat een prachtige locatie dit is, zou ze nooit de moed hebben gehad Reinier uit te nodigen om haar fröbeltjes te komen bekijken. Want hier horen uitsluitend meesterwerken aan de muur. Maar goed dus dat je niet alles van tevoren weet. Ze haalt diep adem en loopt op haar tenen door. Ergens zal toch wel iemand zijn, de deur was toch open? Ze passeert de ingepakte doeken en ziet rechts een deur op een kier staan. Voorzichtig duwt ze die iets verder open. Een zwartijzeren trap leidt naar beneden. Een soort brandtrap, maar dan van een normaal formaat. Zou ze zomaar naar beneden lopen? Nee, ze klopt op de deur. Dat is netter, tenslotte is ze hier nog nooit geweest. Stil blijft ze wachten. Nog steeds geen enkel teken van leven. Dan maar naar beneden. Met weke knieën sluipt ze op haar tenen de trap af. Hier beneden is alles zwart. Zwart tapijt, een zwarte vierkante tafel, zwarte stoelen eromheen. Zelfs de laptop op het zwarte bureau in de hoek is zwart. De muren zijn weer spierwit. Dat wel, gelukkig. Heel in de verte hoort ze een stem.

Met ingehouden adem loopt ze op het geluid af. Het komt uit een andere kamer, waarvan de deur ook weer op een kier staat. Reinier heeft alle deuren open, denkt ze gniffelend. Ja, het is duidelijk Reiniers stem.

'Ja, natuurlijk doe ik dat,' hoort ze hem zeggen. 'Natuurlijk, ik doe alles wat je wilt. Ik zal je altijd dienen, dat weet je toch?'

Het is even stil.

'Ik beloof je dat ik vanavond nog beter mijn best zal doen.' Hij voert kennelijk een telefoongesprek. Ze moet snel weer naar boven. Maar de onderdanige toon van zijn stem en het vreemdsoortige gesprek dwingen haar stil te blijven staan.
'Ja, dan doe ik mijn zwarte latex pakje aan. Dat vind je toch heel mooi? Ja, ik zal je in alles gehoorzamen. Jij bent de meesteres, de enige echte voor mij. De enige waar ik altijd naar zal luisteren. Vanavond zal ik het allemaal goed doen, ik beloof het je. Echt. Ik zal niet stout zijn.'
Het is genoeg. Ze moet naar boven, en fluks ook. Ze heeft dit niet gehoord. Zo zacht mogelijk gaat ze in draf de trap weer op. Jemig, die Reinier! Ze moet er wel om lachen. Ze kan nu weer gewoon ademhalen. Is dit het soms wat hem in haar ogen anders maakte?
'*Welcome to the real world*, Lena,' fluistert ze in zichzelf. Ze voelt zich Alice in Wonderland, maar het is in ieder geval duidelijk dat het zoete luiertijdperk met de weeïge lucht van babyzalfjes, groentehapjes en Karvan Cévitam-tuimelbekers definitief voorbij is.
Ze haalt diep adem en klopt ferm drie keer keihard op de deur. 'Hallo, is daar iemand?' roept ze vervolgens zo achteloos mogelijk.
'Momentje, ik kom eraan,' hoort ze Reinier in de verte. Slechts een paar tellen later neemt hij de trap met drie treden tegelijk.
'Hé Lena, wat leuk!' zegt hij blij verrast. Zijn ogen stralen. Hij ziet er stoer uit in zijn legerkleurige outfit. Zijn verschijning verraadt niets van het gesprek dat ze zojuist hoorde.
'Ik dacht, ik kom even een kijkje nemen. Wat een prachtige galerie heb je,' zegt ze verlegen.
'Ja, hij is goed, hè, ik ben er ook nog steeds blij mee.' Vriendschappelijk slaat hij een arm om haar schouders en leidt haar richting kloostertafel. Hij wijst naar de muren. 'Kijk, en hier hang jij straks. Nu hangt er even niets. Maar over een paar uur is het hier geheel anders. Morgen is de opening van een nieuwe exposant. Ook een debutant, net als jij dus. Als je zin hebt, kom dan even langs, het begint om vier

uur. Kun je meteen zien hoe het er bij de opening van jouw expositie aan toe gaat.'
Het overdondert haar. Krijgt zij ook een echte opening? Reden genoeg om nu al zenuwachtig te worden. Nu dus nog maar even niet aan denken, anders krijgt ze er geen zinnig woord meer uit.
'Ja, lijkt me heel leuk,' probeert ze ontspannen te zeggen. Ze hoopt dat de piep in haar stem hem niet opvalt.
'Wil je iets drinken, een kopje thee misschien?' vraagt hij gastvrij.
Hij moet het hartstikke druk hebben, maar hij wil nog tijd voor haar maken ook.
'Nee, dank je,' haast ze zich te zeggen, 'nee joh, ik kwam alleen even een kijkje nemen. Je hebt genoeg te doen, dus ik ga weer snel. Ik zie je morgen.'
'Is goed, Lena, lijkt me leuk als je ook komt. Ik moet er alleen wel bij zeggen dat ik helaas niet veel tijd voor je zal hebben, mijn aandacht is morgen voornamelijk gericht op de kunstenaar, en de pers heeft natuurlijk ook begeleiding nodig.'
De pers? Ze schrikt ervan. Ook dat nog. Nu ja, ze zal het morgen allemaal wel meemaken.
'Ja, natuurlijk begrijp ik dat, ik wip even binnen en ben onzichtbaar,' schertst ze.
'Haha, jij wipt binnen,' grapt hij terug, 'en Lena, jij bent nooit onzichtbaar!'
Ze lacht en geeft hem drie kussen. 'O ja,' acteert ze alsof het haar opeens te binnen schiet. 'Mijn e-mailadres. Wacht, ik geef het je nu meteen.'
Haastig pakt ze het papier dat ze vanochtend voor de gelegenheid verkreukeld in haar tas had gestopt, opdat het eruit zou zien alsof het daar al dagen in zit, en krabbelt haar e-mailadres erop. 'Alsjeblieft,' glimlacht ze, 'beter mee dan om verlegen?'
'Zo is het,' grijnst hij terug. 'Nog even consciëntieus als altijd, dat doe je goed. Dank je wel.'
Van de weeromstuit trekt ze de deur iets te hard achter zich dicht.

HOOFDSTUK 17

De zaal vóór haar is tot de nok toe gevuld met publiek. Ze staat op een podium. Wat doet ze hier? Honderden gezichten kijken haar verwachtingsvol aan. Voorzichtig kijkt Lena om zich heen: er is niets te zien op het toneel, anders dan een ezel in de hoek bij de coulissen. Aan de standaard hangen twee reusachtige verfkwasten. Dat is het! Ze moet schilderen! Ze rent naar de ezel en sleept die naar het midden van het podium. Er is een doek opgespannen. Maar waar is de verf? Het publiek begint te lachen. Verwilderd speurt ze nogmaals de vloer af. Het gelach wordt steeds harder en gaat over in gebulder. Op de eerste rij gaan wat mensen staan, ze applaudisseren schaterend. Voor haar? Nee, om haar. Ze ziet alleen nog wijd open monden, vol met grote tanden. Sommige mensen staan zelfs voorovergebogen te schuddebuiken. En dan dat steeds harder opklinkende gebulder. Ze wist niet dat een groep mensen zo'n oorverdovend lawaai kon produceren.
Dan ontwaart ze links in de zaal een rechthoekige tafel. 'Jury', staat op het bord ervoor. Reinier zit in het midden. Hij wordt geflankeerd door Victor en een jongen van een jaar of twaalf. Ze knijpt haar ogen samen om hem beter te kunnen zien. Hé, dat is Paul de Jong! Gedrieën staan ze als één man op. Reinier begint met zijn vuisten op de tafel te trommelen en de twee anderen volgen zijn voorbeeld. Ze moet iets doen. Iets, het maakt niet uit wat, als ze maar iets doet.
Ze recht haar rug en haalt diep adem. Dan plaatst ze beide handen in haar zij, buigt door haar rechterknie en strekt haar linkervoet naar voren, dan naar achteren, weer naar voren,

daarna drie stappen opzij.
'Tralala, linksvoor en achter voor en stap, stap, stap,' zingt ze zo hard ze kan. Wat goed dat ze dit dansje altijd onthouden heeft. Het komt haar nu uitstekend van pas dat ze als zevenjarige een blauwe maandag balletlessen volgde. En hoe ging het ook weer verder?
Ze doet dan nog maar een keer hetzelfde, dit keer beginnend met rechts. Terloops kijkt ze naar haar voet en ze ziet dat ze haar sokken nog aanheeft. Waarom heeft ze deze rare dikke sokken aan; die draagt ze altijd alleen onder haar joggingbroek, thuis op de bank. Haar grote teen steekt door het gat in de rechtersok. En dan die witte, blote benen erboven! Gelukkig heeft ze wel de goede schoenen aan, maar die dikke witte sportsokken in de hooggehakte sandalen! Tot haar grote schrik ontdekt ze dat verder ieder kledingstuk ontbreekt.
Terwijl ze gauw haar arm voor haar borsten slaat en met de andere hand haar kruis bedekt, hoort ze een luid gebonk naast zich. Met haar gezicht nog naar de grond kijkt ze vanuit haar ooghoeken naar rechts. Vier wild trappelende paardenhoeven naderen. Voor ze het weet, wordt ze van de grond gerukt en hangt ze halverwege de buik van het paard in de armen van Marcel.
Briesend draait het paard om en galoppeert het podium af, een smalle, donkere tunnel in. Waar gaan ze naartoe? Ze wordt bevangen door een ijselijke kou.
'Marcel, ik moet me aankleden,' piept ze.
'Tot zo dan,' roept hij en hij laat haar los. Ze valt naar beneden. Kilometers lang, er komt geen einde aan.
In foetushouding, met haar armen over haar hoofd, wacht ze op de klap. Die uitblijft, want ze valt op een zacht dek van ijskoude, witte watten. Alles is wit om haar heen. Ze steekt haar hand uit met de palm omhoog. Grote sneeuwvlokken vormen al snel een ijsbeer die zo zwaar wordt dat haar arm langs haar lichaam zakt. De ijsbeer valt met open zwarte ogen in de sneeuw. Ze moet goed ademhalen om niet te stikken. Maar wel met op elkaar geperste lippen, anders krijgt ze weer zo'n

lawine binnen. Wat een enorme vlokken. Zo heeft ze het nog nooit zien sneeuwen. En slechts een paar dagen geleden zaten ze nog op het strand. Kan het sneeuwen in de zomer? Ze moet weg hier en strompelt moeizaam op om zich een weg door de kniehoge sneeuw te wurmen.
Als de sneeuwval voor slechts een seconde iets minder dicht is, ziet ze dat ze op een grote, open vlakte loopt. Ingesloten door de dikke, witte deken. Een ijskoude deken. Ze hoort een luid gekrijs angstvallig dichtbij komen. In een reflex bukt ze en direct vliegt er een groot, zwart gevaarte over haar heen. Van schrik laat ze zich met een harde gil languit op de grond vallen. Meteen draait ze haar hoofd; ze moet het geval wel identificeren. Het blijkt een levensgrote adelaar te zijn.
Magistrale paniek slaat haar bevroren lijf in. Een adelaar, hier? Ze wil blijven liggen, ze kan niet meer. Alle kracht is uit haar benen verdwenen, ze zijn stijf van de kou. Waarom heeft ze niets aan? Maar wat maakt het uit, niks maakt meer uit: ze blijft gewoon liggen. Er zit niets anders op. In haar versuffing ziet ze de gezichtjes van haar dochters opdoemen: waar zijn Kim en Lauren? Ze moet door, en heel snel ook. Tot onder het bot verkleumd weet ze toch overeind te krabbelen. Terwijl ze zich bukt om de vlokken van haar blote lijf af te slaan, valt ze bijna weer om. Ze zet haar voeten wijd uit elkaar om haar evenwicht te hervinden. De oostenwind giert ijzig om haar hoofd. Uitgeput ploegt ze door de metersdikke sneeuw voort. Dat sneeuw zo zwaar kan zijn. Ze moet haar voeten metershoog optillen. Een immense klus op haar hoge hakken. Maar ze uitdoen is geen optie, die zolen bieden nog enigszins bescherming. In de verte hoort ze een dreigend gerommel opklinken, gevolgd door een bulderend gedonder. Door het wit heen wordt ze verblind door een felle, lichtblauwe flits. Bliksem? Onweer, bij sneeuw? Kan dat, is dat mogelijk? Natuurlijk, alles is mogelijk, zeker als het 's zomers sneeuwt. Als het maar mogelijk is om hier uit te komen, dit te overleven, dat is het enige wat telt. Om weer bij Kim en Lauren te zijn. Waar had ze hen voor het laatst gezien? Ze pijnigt haar

hersenen, waarom weet ze dat niet? Eureka: Lauren is bij oma en Kim moet worden opgehaald van school. Maar waar is de school? Hoe kan ze die ooit vinden? Door een gat dat de wind een fractie van een seconde in de sneeuw blaast, ziet ze in de verte een groot, groen weiland. Er ligt een man in te slapen. Daar moet ze heen. Als ze daar maar eenmaal is, kan ze koers gaan bepalen. Wat gek dat ze die man zo duidelijk zag liggen, terwijl dat weiland nog zo ver weg is. Ze moet hem redden, voelt ze, maar ze heeft geen idee waarvan. Het schiet door haar heen dat die man Victor moet zijn. Die is zeker weer gedrogeerd. Moet uitgerekend zij hem dan gaan redden? Natuurlijk, ze moet zich niet laten leiden door haar gevoelens, je moet altijd iedereen redden als dat binnen je mogelijkheden ligt.
De sneeuw lijkt minder dicht te vallen nu. In de verte ziet ze opnieuw iets zwarts dat met grote vaart op haar af komt. Net op tijd hurkt ze zo diep als ze kan, en met woest geraas vliegt het geval vlak over haar heen. Tot haar nek zit ze in de sneeuw, die haar lijf opeens weldadig verwarmt. Dit is eigenlijk wel prettig zo, voor een ogenblik voelt ze zich gekoesterd door de geborgenheid die het witte dek haar biedt.
Dan realiseert ze zich dat ze zojuist zag dat er iets op de rug van de adelaar zat.
Ze strekt haar nek en tuurt in de witgrijze verte, die niets anders dan het einde der tijden kan betekenen. Met een oerkreet springt ze op: Lauren zit op de rug van de roofvogel en zwaait naar haar!
'Lauren!' gilt ze uit volle borst.
Haar dochtertje kijkt lachend om en strekt haar armpjes naar Lena uit. 'Mama!' hoort ze het kind nog roepen voordat het witte gordijn zich achter haar sluit.
Ze begint te rennen, de richting uit waar de adelaar in verdwenen is. De sneeuw wordt minder hier, het rennen gaat steeds beter en opeens zweeft ze over de dikke, witte matras heen. Ze gaat nu sneller dan die vogel gevlogen had. Ze zal hem met gemak inhalen op deze manier. Vanuit het niets rijst

er een hoge berg voor haar op. Een soort witte dijk is het. Daar moet ze even overheen. Drempels moet je altijd nemen in het leven en deze kan ze met gemak het hoofd bieden. Zie je, ze is al boven. Heel even blijft ze staan om op adem te komen. Net als ze naar beneden wil springen, zakt ze weg. Metersdiep valt ze in de sneeuw, die zich als een deksel boven haar sluit. Ze zit vast, ze kan geen kant meer op. Alles is stikdonker om haar heen. Zwart. Ademhalen gaat bijna niet meer. Verwoed begint ze met haar handen boven haar te graven. Als een hondje dat zich de grond in graaft, maar dan andersom. De sneeuw moet aan de kant, maar steeds als ze wat opzij geduwd heeft, valt het weer terug, over haar heen. Ze heeft geen enkele kracht meer. Niet in haar armen, niet in haar longen, nergens meer. Ze blijft dan maar stilletjes zitten. Misschien even een dutje doen, daarna zal het wel beter gaan. Ze voelt zich in een prettige roes wegzakken. Een van boven invallende, felle lichtstraal verstoort abrupt haar rust. Licht, dat betekent een opening, dringt het langzaam tot haar door, ze moet wakker worden! Ze ziet het gat boven haar steeds groter worden. Het jongensgezicht van Paul de Jong verschijnt in de opening. Hij lacht naar haar en tilt dan Lauren boven het gat. Godzijdank, Paul heeft Lauren bij zich. Blij lacht Lena terug. Paul strekt zijn arm het gat in, ze moet zijn hand te pakken zien te krijgen. Maar zijn arm is te kort. Natuurlijk, hij is ook pas elf. Ze probeert te springen, maar dat gaat niet. De sneeuw onder haar is niet hard genoeg om zich tegen af te kunnen zetten. Met iedere sprong zakt ze iets verder naar beneden.

Paul trekt zijn arm terug en ook zijn gezicht verdwijnt. Het gat is leeg. Dan zakt er een lange, brede stok naar beneden. Het blijkt een ski te zijn, wat goed dat Paul die bij zich heeft! Die moet ze kunnen bereiken. Net als ze opnieuw haar hand zo ver mogelijk uitsteekt en op een haar na de punt te pakken heeft, opent de sneeuw zich onder haar voeten. Met een enorme vaart tuimelt ze naar beneden, een eindeloze put in. Ze maakt verschillende salto's, gevolgd door een stuk steil naar

beneden, waarna nieuwe buitelingen volgen. Er komt geen einde aan. Half in coma landt ze.
Ze zit rechtovereind en zet haar handen naast zich neer. Stof voelt ze. Katoen. Langzaam wennen haar ogen aan de duisternis. Behoedzaam kijkt ze om zich heen, dat kastje kent ze. Die staande spiegel ook en daar is de linnenkast. En rechts naast haar ligt Marcel rustig adem te halen. Ze is gewoon thuis, er is helemaal niets aan de hand! Maar ze gaat er wel uit, even beneden een glaasje water pakken. Eerst dit unheimische gevoel kwijtraken, want zo komt ze nooit meer in slaap.
Het water dat ze vanuit de kraan haar glas in laat lopen, stelt haar gerust. Zie je, alles klopt nog.

HOOFDSTUK 18

Ze loopt over de stoep naar de galerie. Haar auto heeft ze om de hoek geparkeerd.
Voor de zekerheid heeft ze haar zwarte 'Ad Now'-feestjurkje aangetrokken. Niet omdat ze werkelijk van plan is om naar binnen te gaan, ze zal er immers niemand kennen en Reinier zal haar niet missen, maar voor het geval dat. Want ze wil wél even zien hoe het eraan toe gaat tijdens de opening. Gewoon, onopvallend de galerie passeren en terloops een blik naar binnen werpen.
Tjonge, wat is het er druk. En iedereen is wit gekleed, dresscode dus. Grote witte boeketten sieren de kloostertafel. Het ziet er superfeestelijk uit. Reinier heeft er veel werk van gemaakt.
Geen denken aan dat zij een stap over de drempel zal zetten. Duidelijk dat zij geen uitnodiging heeft ontvangen en ze wil zéker op geen enkele manier de aandacht op zichzelf vestigen.
'Hé Lena!' hoort ze achter zich, net nadat ze galerie gepasseerd is.
Verschrikt kijkt ze om.
Ze kijkt in het breed grijnzende gezicht van Pieter, de ex van Gwen en vriend van Victor.
'Hé Piet, wat leuk! Wat doe jij nou hier?'
'Hetzelfde als jij komt doen, denk ik, kunst kijken en natuurlijk veel bubbels drinken. Geheel legitiem, hoor, want Reinier is een goede vriend van me.'
Dat wist ze niet, klein wereldje toch. Pieter ziet er trouwens goed uit, zo in het wit.

Maar het was haar nooit opgevallen dat hij zo aantrekkelijk is. Vermoedelijk nooit op gelet, omdat hij nou eenmaal de vriend van Gwen was.
'Dat is lang geleden, Piet!'
'Zeg dat, *time flies having fun*, hè, en dat heb jij wel, zo te zien. Je ziet er goed uit, meisje!'
Zijn compliment raakt haar onverwacht.
'Ja, de tijd vliegt, maar je bent zelf de piloot,' probeert ze ad rem te zijn. 'Ik kom niet kijken, hoor. Ik loop hier toevallig, op weg naar de brievenbus,' liegt ze. Het gevoel betrapt te zijn heeft haar nog niet verlaten.
'Drink er eentje mee, joh,' zegt Pieter joviaal en hij pakt twee champagneglazen van het dienblad dat op een tafeltje bij de ingang staat.
Ze aarzelt: een glas drinken, hier op de stoep? Is dat niet wat vreemd zonder eerst de gastheer te hebben begroet? Als Reinier haar in het oog krijgt, wil hij natuurlijk dat ze binnenkomt. Maar och, wat kan het schelen ook, de kans is groot dat Reinier het veel te druk heeft om haar op te merken en anders kan ze altijd nog net doen of ze juist op het punt stond naar binnen te gaan.
Terwijl Pieter haar het glas aangeeft, raakt zijn arm de hare, wat een knetterend schokje oplevert. 'Hé, elektriciteit tussen jou en mij! Op het goede leven,' glimlacht hij.
Pieter blijkt onderhoudend, gezellig gezelschap. Geanimeerd babbelt hij erop los, alsof het leven niets anders dan een groot, opwindend spel met ongekende mogelijkheden is.
Over zijn schouder heeft Lena uitstekend zicht op de galerie, waar de mensen om elkaar heen krioelen.
In het midden van de zaak staat Reinier, ook hij is in het wit. Zwart latex lijkt alweer heel ver weg. Hij ziet er uitgerust uit. Je zou niet denken dat hij gisteren een ongetwijfeld vermoeiende avond heeft beleefd. Reinier wijkt geen moment van de zijde van de kunstenaar, die continu in gesprek is. Veel foto's worden er van hem gemaakt.
Lena had steeds het idee dat de muziek afkomstig was van een

cd, maar achter in de hoek ontwaart ze een strijkje. Ook dat nog! Zou Reinier dat straks ook allemaal voor haar organiseren?

'Poeh hé, ja, goed kun je dit leven wel noemen!' denkt ze hardop na het derde glas, nog steeds op de stoep. Niemand lijkt het gek te vinden dat Pieter en zij buiten blijven staan. De champagne verricht uitstekend werk. Een zeker niet onaangename roes begint zich van haar meester te maken. Heerlijk zo. Wat kan het toch leuk zijn allemaal!
Ze vangt Pieters verraste blik.
'Ga je zo mee op een terrasje zitten, dan kunnen we verder praten. Ik heb het hier eigenlijk wel gezien, of wil jij nog even binnen kijken?' informeert hij.
Och jee, nee zeg. Een terrasje: ja, dat klinkt goed!

HOOFDSTUK 19

Tjonge, ze is nog steeds dronken, lijkt het wel. Met veel kunst- en vliegwerk heeft ze het voor elkaar gekregen om Kim per fiets op tijd naar school te loodsen. De kleine voorop in het zitje aan het stuur en Kim op de bagagedrager. Het zitje van Kim bleek nog achter op Marcels fiets bevestigd, en ze had echt de kracht noch de logica kunnen vinden om dat naar haar fiets te verplaatsen. Het moest maar voor een keer, er zat niets anders op. 'Benen goed wijd houden,' had ze haar dochtertje toegebeten, 'anders komen je voeten tussen de spaken.' Toch maar een keer zo'n bakfiets kopen?
Lauren zit nu voor de tv een video te bekijken. Vermoedelijk pedagogisch absoluut onverantwoord, maar iets anders zit er voor nu werkelijk niet in. Ze moet eens even rustig gaan zitten. Grinnikend gaat ze met een grote kop koffie aan de ronde keukentafel zitten. Oeh, wat een avond was dat gisteren! Wat is er in hemelsnaam allemaal gebeurd? Ze roert in haar kopje en probeert zich te concentreren. Even goed nadenken en vooral lekker nagenieten. Het was in ieder geval erg leuk met Pieter. Urenlang hadden ze buiten op het terras zitten kletsen. Hij was overgestapt op bier en zij op witte wijn. Ze hadden helemaal niets gegeten, dus de wijn was na de champagne behoorlijk geland. Gelukkig had ze nog wel een paar glazen water tussendoor gedronken, anders was de schade aanzienlijk groter geweest. Ze had het nog met Pieter over Gwen gehad, van wie hij niets meer wilde weten.
'Gwen is de grootste vergissing van mijn leven. Tot nu toe dan,' had hij gezegd. Ze had niet willen weten waarom, het is ten-

slotte haar vriendin, dus was ze meteen van onderwerp veranderd. Langs haar neus weg had ze geïnformeerd hoe het met Victor ging. Dat wist hij niet, zei hij, want ze hadden al tijden geen contact meer. Victor had duidelijk laten weten daar geen behoefte meer aan te hebben.
Geestig, zij was dus niet de enige.
Pieter vertelde dat hij als laatste van Victor gehoord had dat hij een tijdje had samengewoond met een Braziliaanse. Toen ze zwanger bleek te zijn, en duidelijk maakte dat ze het kind wilde houden, had hij de relatie verbroken.
'Victor ten voeten uit, hè; een beetje veel last van bindingsangst. Zodra er iets meer van hem verwacht wordt, haakt hij af. Aanvankelijk speelde zijn vriendin *hard to get* en ja, daar gaat hij als geen ander voor, hij heeft er dan ook alles aan gedaan om haar bij hem in te laten trekken,' vertelde Pieter. 'Vroeger zei hij al dat zodra de kat in het bakkie zat, zijn belangstelling was verdwenen. Die Braziliaanse is gebroken naar haar vaderland teruggekeerd. Ik had nog een vermoeden dat hij haar achterna zou reizen, want pas weten wat hij had als het voorbij is en dan weer alles op alles zetten om het verloren bezit opnieuw te vergaren, is hem ook niet vreemd.'
Hilarisch had ze uitgeroepen: 'Tjonge, heeft hij nóg iemand zwanger gemaakt?'
Waarop Pieter haar verbaasd had aangekeken. 'Hoezo nóg iemand?'
Ze had nonchalant haar schouders opgehaald. 'Ach, ik zeg maar wat.' Hij wist dus van niets, en dat moest vooral maar zo blijven ook.
Toen Pieter en zij het wel heel erg goed bleken te kunnen vinden samen en ze opeens met hem midden op dat terras zat te zoenen, had ze de tegenwoordigheid van geest gehad om een taxi te bellen. Tegen Pieter zei ze dat ze elkaar gauw zouden bellen.

Ze hoopt wel dat hij dat is vergeten. Hij had beslist ook te veel gedronken, dus die kans is ruimschoots aanwezig. Ze heeft

geen idee waarom ze contact zouden houden, heeft er geen enkele behoefte aan. Het was dat hij net op dat moment de galerie uit kwam, en ze op die manier goed kon zien hoe het er bij de opening aan toe ging, anders had ze er nooit over gepiekerd om met hem waar dan ook wat te drinken. En daarna op een terras te gaan zitten. Het feit dat die drie glazen champagne behoorlijk aansloegen, was er natuurlijk ook debet aan. Zonder alle daaropvolgende wijn was dat zoenen ondenkbaar geweest.
Haar auto staat nu dus nog bij de galerie. Die moet ze straks ophalen. Bidden maar dat er geen bon op zit, want op maandag mag je daar niet vrij parkeren. Bij thuiskomst had ze nog een fles wijn opengetrokken, ze kon er geen genoeg van krijgen. Iedereen lag natuurlijk allang te slapen, want het was al kwart over twaalf. Marcel had niet op haar gewacht, hij moest er de volgende ochtend om zes uur uit om op tijd in Brussel te zijn voor een vergadering. Ze had Paul nog een mail gestuurd. Pauls antwoorden doen haar steeds meer aan Victor denken. Ze krijgt er precies hetzelfde gevoel bij. Daarom vindt ze mailen met Paul ook zo leuk. Maar eigenlijk is hij veel leuker en vooral liever dan Victor. Zijn onverdeelde aandacht zorgt er altijd voor dat ze zich een echte vrouw voelt. Een opwindende, uitdagende vrouw. Gisteren had ze zich zelfs een *femme fatale* gevoeld, zo na die zoen met Pieter. Alsof ze haar rijtje minnaars afhandelde. Bespottelijk, natuurlijk, maar ze genoot van het gevoel.
En zolang het bij wat heen en weer mailen blijft, is er niets aan de hand. Pieter was natuurlijk een ander verhaal, maar die is vandaag waarschijnlijk alles van het gebeurde kwijt. Bovendien, wat betekent een zoen nou? Helemaal niks. Eigenlijk niets aan de hand dus, alles is nog steeds overzichtelijk.
O ja, er was een mail van Jim, 'de goedbedoelende Jim'. Die stond weer vol met wanstaltige, slecht rijmende teksten. Ze had het bericht direct gewist.
Opeens schiet het door haar heen dat ze Victor ook nog een mail had gestuurd voordat ze haar bed uiteindelijk had weten

te vinden, na eerst bijna van de trap af te zijn gelazerd omdat ze struikelde over een pop van Lauren die daar op een trede lag.
Wat heeft ze hem ook weer geschreven? Ze spoedt zich naar haar pc en kijkt bij de verzonden berichten. Ja hoor, daar staatie. Verzonden om halfdrie 's nachts. Au. Snel opent ze haar schrijfsel.

> *Victor,*
> *Vanavond werd mij duidelijk dat het jouw hobby is om vrouwen zwanger te maken. Zelfs je Braziliaanse heb je na totale uitwoning met baby huiswaarts laten keren. Kijk, daar heb je ook geen last meer van.*
> *Ik adviseer je om een opblaaspop te kopen.*
> *Lena.*

Oei! Wat een tekst! Waar haalde ze het lef vandaan, zeg, om zich uit te spreken over zijn relatie met die Braziliaanse. Ze wordt vervuld van een intense schaamte. Zucht. Kijk, dit had ze nou net niet moeten doen. Aan de andere kant, het geeft wel aan hoe groot haar woede jegens hem kennelijk is. Onverwerkt leed. Is dat dan wel terecht, dat ze zo boos op hem is? En waarom is ze zo boos? Ze had het toch zelfstandig besloten? Misschien was ze wel helemaal nooit zo boos geweest als hij niet was begonnen met dat idiote opeens geen contact meer met haar willen. Want zij had hem toch nooit iets misdaan? Hij had in ieder geval uitleg kunnen geven. Haar niet zo hoeven negeren. Net zoals toen. Zij heeft hem toch ook nooit iets in de weg gelegd, net zo min als die Braziliaanse kennelijk?
Niemand zou ooit iets in zijn weg kunnen leggen. Hij staat het eenvoudigweg niet toe. Waarschijnlijk komt die ander dan te dichtbij. Te dicht bij wat? Waar is hij zo bang voor? Is het bindingsangst, zoals Pieter het noemde? Hoe dan ook, haar vage schuldgevoel blijkt onmiskenbaar omgeslagen in woede.
Eén ding is zeker: nu zal hij in ieder geval nooit meer iets van haar willen weten.

HOOFDSTUK 20

14 augustus 1997

'Lena, telefoon voor je.' Verbaasd keek ze op naar Klaas, de barkeeper van haar favoriete kroeg.
Telefoon voor haar? Wie zou haar hier nu bellen? Om halfeen 's nachts, ze was net van plan haar bed op te zoeken. Ze spoedde zich achter de bar, waar Klaas met de hoorn in zijn hand op haar stond te wachten.
'Victor,' zei hij met een ondeugende twinkeling in zijn ogen.
Victor? Voor haar? Hij had haar zelfs nog nooit thuis gebeld, laat staan in een café.
Ze had hem vanavond wel even aan de bar zien staan, maar had besloten om geen aandacht aan hem te besteden. Ze wilde van hem af. De klucht had nu echt wel lang genoeg geduurd, ze werd er geen haar gelukkiger van. Het feit dat hij haar gevoelens altijd negeerde, met als apotheose hun recentelijk samenzijn in het Kurhaus, had er nu definitief voor gezorgd dat ze zonder enige moeite alles met hem kon laten voor wat het was. Een seksuele luchtbel. Ze ging eens even zorgen dat hij voor altijd uit haar systeem verdween, zodat ze zich misschien open kon stellen voor iemand die wel iets met haar wilde delen. Iets meer dan alleen hotellakens. Namelijk het dekbed thuis, bijvoorbeeld na een gezellig etentje en dan een kop koffie of lekker kneuterig warme chocolademelk, in plaats van wijn. Iemand die tegen haar zei dat ze eens moest gaan zitten en dat hij de boel wel af zou wassen. Die haar ook leuk vond als ze met joggingbroek aan en buik uit onderuitgezakt op de

bank zou hangen na een vermoeiende werkdag. Die haar dan in zijn armen zou nemen. Iemand bij wie ze niets anders kon zijn dan zichzelf. Sterker nog, bij wie ze niets anders móchtzijn.

Ze was er trots op dat ze zijn blik had genegeerd. Want hij had zijn uitnodigende glimlach wel naar haar opgezet, maar ze had net gedaan alsof die haar volledig ontging. Hij was ook niet naar haar toe gekomen en even later had ze tot haar grote voldoening geconstateerd dat hij wegging. Prima zo.

En nu belde hij haar dus.

'Ha Magdalena, ik was bezorgd. Er is hoop ik niets aan de hand?' informeerde hij vriendelijk. Hij was de enige die altijd voluit haar doopnaam gebruikte. Ze wist nooit of dat spottend bedoeld was eigenlijk. Maar hij vroeg of alles goed met haar was? Ging het dan wel helemaal goed met hem?

'Nee hoor, wat zou er moeten zijn,' antwoordde ze luchtig.

'Nou ja, je deed net alsof je me niet zag, dat raakte me wel,' klonk hij nu serieus.

Voor het eerst in vijf jaar hoorde ze hem zeggen dat zij hem raakte. Ze voelde twintig vlinders door haar buik heen schieten. O jee, daar ging ze weer.

'Ik zit in het Carlton Square en wil je heel graag nog even zien, kom je zo hiernaartoe?'

Voordat ze het wist, hoorde ze een stem zeggen dat ze eraan kwam.

'Kamernummer vier. Ik stel de receptie wel op de hoogte van je komst,' zei hij en hij hing meteen op.

Dat was attent van hem. Dat hij de receptie liet weten dat ze door kon lopen. Dat ze niet iets uit zou hoeven leggen bij binnenkomst. Ze vond het enerzijds doodeng en aan de andere kant geweldig. Waanzinnig opwindend.

Toen ze de haar vriendelijk toeknikkende receptionist passeerde, voelde ze zich een callgirl. 'Kamer vier zeker?' had hij haar gevraagd. Hij vond het volkomen logisch dat juist zij midden in de nacht naar Victor toe zou gaan. Zag hij hen als een stel of haar als een hoer? Maakte ook niet uit. Geen van beide

kwam in aanmerking en het laatste vond ze voor het moment het leukste. In ieder geval het spannendste.
Victor zat op het bed met een fles champagne. Voor hem stonden twee glazen op een dienblaadje. De muren van de hotelkamer waren behangen met kleding. Drie donkere kostuums. Vier overhemden: twee witte, een zwarte en een blauwe, en vier stropdassen aan de hanger ernaast. Aan de andere muur drie spijkerbroeken en een beige jeans. Vier T-shirts. Op het bureautje daaronder lag een stapeltje ondergoed. Daarnaast een zwembroek.
'Ha, eindelijk,' riep hij blij, 'glaasje?'
'Graag. Eh, wat is dít?' vroeg ze lachend, wijzend op de klerententoonstelling. 'Ga je een winkel beginnen of zo?'
'Nee, ik ben op vakantie.'
'Op vakantie, hier in Haarlem?'
'Ja hoor, dat kan ook.'
'Met je huis een paar straten verderop?'
'Geen punt. Ik heb vakantie en wil het begin daarvan met jou vieren. Cheers!'
Hij was extatisch. De wereld lag aan zijn voeten, bezwoer hij. Hij ging het helemaal maken, zou een miljoenencontract af gaan sluiten en daarom had hij nu alvast een vakantie verdiend. Comfortabel in Haarlem, want vanwege zijn beoogde miljoenen kon hij onmogelijk het land uit. Hij kon elk moment gebeld worden.
Ze wilde hem graag geloven, maar het lukte haar niet. Ze had hem al in veel hoedanigheden meegemaakt, echter nog niet in deze. Plotseling had hij een zwarte piratenhoed tevoorschijn getoverd, die hij op zijn hoofd plantte. Hij zette de radio harder. Met zijn armen gestrekt zijwaarts maakte hij een diepe buiging voor haar.
'Blackbeard zou graag deze dans van u stelen,' zei hij. Hij was knettergek. Toch liet ze zich meevoeren en samen dansten ze intiem op *Against all odds* van Phil Collins. Eigenlijk heel toepasselijk. Want dit mocht niet, ze had dit helemaal niet gewild. Ze voelde zich Meryl Streep in *Sophie's Choice*. Dit was com-

plete waanzin. '*Let's tango*!' gilde hij ertussendoor. Gelukkig leende de muziek zich daar niet voor. Bovendien had ze geen idee hoe je een tango moest dansen, en hij vermoedelijk nog minder.
'Was maar een grapje, hoor, dat van Blackbeard,' fluisterde hij ineens een stuk kalmer in haar oor en hij gooide die belachelijke hoed af. Dat stelde haar enigszins gerust. Ze danste nog maar even met hem mee. Ze was moe en wilde gaan slapen. Ze overwoog of ze naar haar huis zou gaan of toch beter hier kon blijven. Het laatste zou veruit het gemakkelijkste zijn. 'Ik ga zo slapen, Vic, ben bekaf.'
Hij maakte een gebaar naar het bed. '*Be my guest*,' zei hij gastvrij.
'Alleen slapen, hoor,' voegde ze er nog aan toe.
'Hé Magdalena, niet zo angstig! Natuurlijk gaan we alleen slapen als jij dat wilt.'
Ook dat was nieuw. Dat hij iets zou doen wat zij wilde.
Ze was als een blok in slaap gevallen.
Het leek slechts een paar minuten later toen ze werd gewekt door een gevoel van hevige opwinding. Het licht door de gordijnen maakte duidelijk dat de dag al moest zijn begonnen.
Overal handen op haar lichaam. Warme lippen in haar hals. Niet de ergste manier van langzaam ontwaken, bedacht ze. Nu even niet denken, gewoon doen, nog één keertje dan. De laatste.
'Trek je wel op tijd terug,' wist ze ertussendoor uit te brengen.
'Natuurlijk,' had hij terug gefluisterd. Hij wist dat ze al een halfjaar geleden met de pil was gestopt. Normaal gebruikten ze condooms, maar dat was er nu dus niet van gekomen.

'Sorry,' zei hij, 'het was al gebeurd voordat ik er erg in had.'
Snel rekende ze uit hoe erg dit zou kunnen zijn. Vorige week was ze toch nog ongesteld, of was het alweer twee weken geleden? Nee, het moest absoluut vorige week geweest zijn, veilig dus.
'En stel je voor dat ik nou zwanger ben?' kon ze niet nalaten

te vragen terwijl ze zich snel aankleedde. Douchen zou ze thuis wel doen.
'Ach, dat worden ze uiteindelijk allemaal,' hoorde ze hem zeggen.
Waarschijnlijk was deze keer nog nodig geweest om het voor altijd, definitief en onomkeerbaar af te leren, bedacht ze toen ze naar huis reed.

HOOFDSTUK 21

'Kom op, Lauren, niet zo zeuren.' Ze gooit het kind bijna de auto in. Het hummeltje kan er natuurlijk ook niets aan doen dat er een vette bon onder haar ruitenwisser zat. Uit pure chagrijnigheid heeft ze hem meteen verscheurd, gewoon lekker doen alsof hij niet bestaat. Ze geeft haar dochtertje een dikke knuffel.

'Sorry, schatje, dat bedoelde mama niet zo, hoor, ze deed een beetje onhandig. Heb je je pijn gedaan?' Bizar eigenlijk dat ze net als alle andere moeders tegen haar kinderen de derde persoon enkelvoud gebruikt als ze het over zichzelf heeft.

Het allerliefste gezichtje schudt nee. Nog een dikke kus, die kleine beentjes hebben een hele tocht af moeten leggen, want de buggy bleek nog achter in de auto te liggen. De wandeling heeft haar goed gedaan, de mist in haar hoofd is inmiddels opgetrokken.

Ze start de auto. Zo. Eerst boodschappen doen en dan Kim van school ophalen. Ze passeert de galerie. Die ziet er nu stilletjes uit, binnen is het donker, zeker gesloten op maandag. Bij de hoek ziet ze op het laatste moment een fietser oversteken. Die heeft voorrang hier. Oei, ze moet haar gedachten bij het verkeer houden. Het terras dat gisteren nog zo gezellig druk bevolkt was, ligt er nu eveneens verlaten bij. Het weer is ook een stuk minder vandaag, de zon heeft zich nog niet laten zien. Onwillekeurig kijkt ze even naar het tafeltje waar ze gisteren met Pieter zat. Een ongemakkelijke kriebel kruipt tergend langzaam door haar maag.

Hé, wie komt daar het café uit lopen? Dat lijkt Marco wel.

Nee, kennelijk niet, want hij slaat zijn arm om de schouders van de vrouw die achter hem aan komt. Ze gaat wat zachter rijden. Dit moet ze even heel goed bekijken. Is het Marco nu wel of niet? Ja, zeker weten. Die vrouw kan natuurlijk ook een collega zijn, of misschien zijn zus. Ze hangt bijna tegen de voorruit aan, het stuur duwt hard in haar buik. Ho! Net op het laatste nippertje geremd, bijna was ze op de onverwacht remmende auto voor haar geknald. Nee, het zal zijn zus niet zijn, want met zijn hand strijkt hij nu kort over haar billen. En dat doe je niet bij je zus, en ook niet bij een collega.
Dit had ze liever niet willen zien. Heeft Marco een vriendin, of is het een tussendoortje? Hoe dan ook, het is iets ongewensts. En zeker ongepast. Wat een sukkel, zeg, om dan ook nog totaal ongegeneerd hier, waar zijn vrouw en kinderen wonen, met een of andere sloerie in een kroeg te gaan zitten! Hij kan ook in Amsterdam blijven. Nu heeft zij hem gezien, bah. Gaat ze dit tegen Mireille zeggen? Nee, voorlopig in ieder geval niet, eerst maar eens kijken hoe de dingen zich tussen hen ontwikkelen.
Terwijl ze weer gas geeft en hem passeert, ziet ze dat hij onderzoekend haar kant op kijkt. Hij kent natuurlijk haar auto. Op het moment dat hun blikken elkaar kruisen, kijkt hij snel voor zich. Tja, alleen dat zegt al wel genoeg.

Het zit niet echt mee vandaag. Zojuist heeft ze een woedend gillende Kim letterlijk van het schoolplein af moeten trekken, omdat ze niet met 'die stomme mama' mee wilde. Mevrouw had afgesproken om met een vriendinnetje te gaan spelen en was zeer verbolgen over het feit dat dit vandaag niet mocht. Kim kon er een groot drama van maken. Dit waren haar problemen en grote verdrieten. Heerlijk om kind te zijn.
De spiegeling van haar dochtertje dat buiten wilde spelen terwijl dit niet mocht, drong zich aan haar op.
Lena had haar uiteindelijk een tik op haar billen gegeven, vlak voordat ze de auto in stapten. Ze hield er niet van om dat te doen in het bijzijn van andere moeders, maar nu moest het

wel. In de auto was Kim tot bedaren gekomen.
'Mama had vanochtend toch al gezegd dat je vandaag niet kon spelen?' had ze educatief verantwoord gezegd. Afspraken, het was belangrijk zo'n kleintje te leren dat die werden gemaakt om na te komen.
Kim zweeg en keek door haar krokodillentranen heen stuurs voor zich uit.
'Nou, Kim, dat hadden we toch vanochtend al afgesproken?' herhaalde ze.
'Ben ik vergeten,' antwoordde het kleine meisje, dat de allure van een wereldse diva kon hebben die alles en iedereen om haar vingertjes wist te winden, uiteindelijk beteuterd.
Lena's hart smolt. Kim is tenslotte nog maar een kleutertje.

Ze pakt haar boodschappenmand uit en geeft haar dametjes een grote chocoladekoek en een pakje met hun favoriete limonade, en alles is alweer goed.
Ze loopt haar atelier in om een blik te werpen op Gwen in wording. Haar gezicht heeft ze vanochtend licht in potlood opgezet en ze ziet nu direct dat er iets niet goed is. Anatomisch klopt het perfect met het fotootje rechtsonder in de hoek, maar er mist een uitdrukking. Zou ze die er met verf in kunnen krijgen? Nee. Vermoedelijk niet. Ze begint wat te gummen. Het gaat niet goed, er ontstaan grijze vlekken. Wild scheurt ze het doek van de ezel af en frommelt het tot een prop. Het is weggooidag vandaag, bedenkt ze cynisch. Morgenochtend zal ze met een frisse blik opnieuw beginnen.
Telefoon.
'Met Lena,' zegt ze, niet benieuwd naar de beller.
Het is even stil.
'Hallo!' roept ze ongeduldig.
'Dag Lena, met Marco,' hoort ze tot haar ontsteltenis.
'O, hé Marco!' Ze schraapt haar keel.
'Ja, ik dacht, ik bel je even. Ik stoor niet, hoop ik?'
'Nee hoor.'
'Ik zag je daarnet rijden. Wat je zag is niet wat je misschien

denkt, hoor, dat wilde ik even zeggen.' Zijn stem klinkt donker.
Ze zwijgt, nu wel benieuwd naar wat hij gaat zeggen.
'Ik begreep van Mireille dat je op de hoogte bent van onze problemen,' vervolgt hij. 'En ik zou eigenlijk graag een afspraak met je maken. Ik wil er graag over praten, maar alleen met iemand die ik volledig vertrouw.'
Hm, daar is ze even blij mee, zeg. Ze heeft geen zin een intermediaire rol te vervullen, dat zou ze trouwens niet kunnen ook, ze is geen psycholoog.
Maar wel een vriendin. Mireilles vriendin. Maar natuurlijk ook een beetje zijn vriendin. En als vriendin van Mireille is ze het misschien wel verplicht om in te gaan op zijn verzoek. Of juist niet?
'Ik begrijp dat je het lastig vindt, en als je het liever niet wilt moet je het niet doen, even goede vrienden,' hoort ze hem verontschuldigend zeggen.
Hij heeft dus inmiddels contact gehad met Mireille, er is kennelijk sprake geweest van een enigszins normaal gesprek, anders had haar vriendin nooit verteld dat ze hun problemen aan haar had toevertrouwd.
Ze moet het gewoon maar doen. 'Is goed, hoor, Marco,' zegt ze dus.
'Daar ben ik blij om, Lena, waar zou je af willen spreken?'
Tja, eigenlijk liever niet thuis. Beter in Amsterdam, dan kan ze meteen weer eens naar de Bijenkorf. Maar niet in een café. Het restaurant van dit warenhuis is prettig neutraal.
'Jij zit toch in Amsterdam? Wat dacht je van lunchen in La Ruche?'
'Lunchen is prima. La Ruche, waar is dat?'
'In de Bijenkorf, Marco.'
Ze hoort hem kort lachen. 'O ja, natuurlijk. Kun jij overmorgen?'
'Woensdag is voor mij altijd lastig, want dan heeft Kim 's middags vrij. Donderdag kan wel.'
'Donderdag is ook goed. Om halfeen daar?'

‘Prima. O ja, ik geloof trouwens dat het restaurant een andere naam heeft nu. En het ligt op de vijfde etage tegenwoordig.’
‘Ik vind het wel. Tot dan, Lena.’
Ze heeft helemaal niet gevraagd hoe het met hem gaat.

HOOFDSTUK 22

'Perfect idee van je, Gwen.' Genietend sluit Lena haar ogen. Wat is dit hemels, zo languit op het strandbed in de zon, die haar zorgvuldig ingesmeerde huid warm koestert.
'Ach, ik heb mijn heldere momenten,' antwoordt haar vriendin lachend.
Buitenkansje hoe het allemaal net zo uitkwam. Ze had vanochtend in één keer zomaar een vrije woensdagmiddag gekregen. Kim zou na school meegaan met een vriendinnetje en oma had onaangekondigd Lauren opgehaald voor de speeltuin. Net toen ze voor de vierde keer aan Gwens portret wilde beginnen, had het onderwerp van haar geworstel voor de deur gestaan. Op weg naar een 'volstrekt onbelangrijke' vergadering had het mooie weer haar die doen annuleren. Ze ging naar het strand toe, had Lena zin om mee te gaan?
Maar natuurlijk! Ze bedacht dat ze dan meteen Gwens gezicht goed kon bestuderen om te zien welke uitdrukking ze nog steeds niet wist vast te leggen.
'O mán! Het was geweldig met Dries!' Gwen gaat rechtovereind zitten, alsof ze haar woorden kracht bij wil zetten.
'Ja? Vertel.'
'Heel romantisch gegeten en daarna natuurlijk een nog romantischer vervolg thuis. Hij vertelde dat hij me had gemist en...'
Ze zwijgt en kijkt Lena samenzweerderig aan. 'En,' vervolgt ze, 'hij is de hele nacht gebleven!'
'En zijn vrouw dan?' informeert Lena.
'Die was er niet, ze had een reünie of zo en bleef daar slapen.

Maar los daarvan, hij denkt er hard over om bij haar weg te gaan. Het kaarsje is eigenlijk al lang gedoofd, zo noemde hij het.'
Lena neemt een slok van haar mineraalwater. Heerlijk, met die citroen erdoorheen gestampt.
'Wat verwachten al die getrouwde mensen toch eigenlijk allemaal wel niet van elkaar,' zegt ze terwijl ze haar hoofd weer op het bed legt.
'Hoe bedoel je dat?' Gwens stem is nu wat feller.
'Nou, zoals ik het zeg. Al die grootste verwachtingen die iedereen maar van het huwelijk en dus van elkaar lijkt te hebben.'
'Nu ja, het kan natuurlijk dat jij die niet hebt.' Verbeeldt ze het zich of hoort ze nu echt een venijnige klank in de stem van haar vriendin?
Lena besluit in te dammen en haar werkelijke gedachten niet uit te spreken. 'Tja, die heb ik natuurlijk ook wel, maar ik realiseer me dan vaak weer dat mijn verwachtingen te hooggespannen zijn. Dat je niet alles in één persoon kunt vinden.'
Ze denkt terug aan het gesprek dat ze eergisteravond met Mireille voerde. Een paar uur nadat Marco haar gebeld had, deed Mireille hetzelfde. Om even bij te kletsen, zei ze. Ze vertelde dat ze inmiddels haar rust een beetje hervonden had, en de afgelopen week goed had kunnen benutten om na te denken over haar problemen met Marco. Ze zei ook dat Marco die middag Theo, hun oudste, naar zwemles had gebracht omdat zij een bespreking had op dat tijdstip. En dat ze, toen hij hun zoon weer veilig thuis afzette, totaal onverwacht werd getroffen door een gevoel van allesoverheersende liefde. Dat het zo goed was, dat het zo hoorde, dat hij erbij hoorde. Mireilles stem had blij geklonken. Ze zei ook dat ze zowaar nog vriendelijk met elkaar hadden gepraat en dat zij hem daarbij in overweging had gegeven om eventueel samen in relatietherapie te gaan. Marco had daar echter niets van willen weten. Hij wilde er wel alles aan doen om hun problemen op te lossen, maar niet met een derde erbij. Met de afspraak

dat ze er beiden nog eens goed over na zouden denken, waren ze uit elkaar gegaan. De kinderen hadden het uitgegild van verdriet dat papa weer naar zijn werk vertrok en dat had natuurlijk haar hart gebroken. Ook dat was een belangrijke reden er alles aan te doen om hun huwelijk nog een kans te geven. Lena antwoordde erg blij te zijn met dit nieuws en besloot niets te vertellen van de afspraak die ze donderdag met Marco had. Eerst eens horen wat hij te zeggen had, dan kon ze Mireille altijd nog op de hoogte brengen. Dat zou ze trouwens zeker ook doen, alleen natuurlijk niets over wat ze die middag gezien had: Marco met die juffrouw.

Het ene huwelijk wordt misschien gered en het andere gaat vermoedelijk naar de knoppen. Althans, aan Gwen zal het niet liggen, lijkt het.
'Dat begrijp ik ook, hoor, Leen,' hoort ze Gwen nu antwoorden.
Wat begrijpt Gwen? O ja, dat je niet alles in één persoon kunt vinden.
'Natuurlijk begrijp ik dat,' herhaalt ze nog een keer, 'maar joh, wij kunnen het zo goed vinden samen! Afgelopen weekend zijn we een hele dag wezen zeilen. Het was geweldig! Zo gezellig met z'n tweetjes! En dat soort dingen doet hij al heel lang niet meer met zijn vrouw. Sinds hun kinderen blijkt ze opeens niets meer van boten te willen weten. En dit weekend ga ik naar Parijs!'
'Wat leuk, met wie ga je?'
'Met Dries, natuurlijk! Hij zit er al voor een congres en plakt het weekend er speciaal voor mij aan vast, dan kunnen we lekker ongestoord in die prachtige, idyllische stad samen zijn. O, ik kan niet wachten!'
'Nog even en je woont met hem samen.' Lena hoort zelf hoe cynisch ze klinkt.
'Je vindt het raar, hè? Je gunt het me niet, hè? Kijk, als hij het niet met mij doet, dan doet hij het wel met een ander, hoor. Het is echt mijn verantwoordelijkheid niet. Punt. En wie weet,

misschien zijn we wel voor elkaar bestemd, tenminste, tot nu toe voelt dat wel zo. Ik kan er toch niets aan doen dat zijn vrouw hem niet begrijpt?'
Lena moet haar best doen om niet smalend te lachen. Ze gaat er eens even bij zitten. 'Zegt hij dat, Gwen? Dat zijn vrouw hem niet begrijpt?'
Verbaasd kijkt haar vriendin haar nu aan. 'Ja, hoezo?'
'Nou, sorry dat ik het zo stel, hoor, maar mannen die dat soort clichés bezigen, begrijpen voornamelijk zichzelf niet. Ze hebben al tijden geen flauw benul van waar ze eigenlijk mee bezig zijn, en verwachten van hun vrouw dat zij dat wel heeft. Dan begrijpt zij hem dus niet?'
'Zo hé, Leen!' Gwen springt op alsof ze door een malariamug is gestoken. Met haar handen in haar zij staat ze strijdlustig naast het bed. 'En dat zeg jij? Dat durf jij zomaar te zeggen? Waar haal je het gore lef vandaan, zeg.'
Ze gaat weer zitten. 'Ik had er niet over willen beginnen, in de eerste plaats omdat je een vriendin van me bent en ik ervan uitga dat ook jij fouten kunt maken, en in de tweede plaats omdat ik dacht dat de oorzaak drank moest zijn en het verder niets voorstelde.'
Haar vriendin zwijgt veelbetekenend. Waar gaat dit naartoe? Opeens ziet Lena de uitdrukking die ze tot nu toe gemist had in haar getekende opzetjes. De kwetsbaarheid. Op Gwens gezicht kan af en toe een enorm kwetsbare uitdrukking verschijnen. In combinatie met haar uitdagende schoonheid is dat onweerstaanbaar. Zo ongelooflijk charmant.
'Nou, jij en Pieter,' vervolgt Gwen en ze lijkt nu haast breekbaar.
Lena's hart trekt samen. God ja, dat is ze helemaal vergeten te vertellen! Als ze dat nou als eerste aan Gwen had gemeld, was er vermoedelijk niets aan de hand geweest. Dan had ze meteen uit kunnen leggen hoe ontzettend stom het van haar was en dat het niets anders voorstelde dan een uit de hand gelopen kusje, en inderdaad: oorzaak niets anders dan bedwelmde lichtzinnigheid.

'Kijk, ík snap het dus wel dat je af en toe iets anders wilt, ik zou de laatste zijn om dat te veroordelen. Altijd een boterham met kaas doet smachten naar hagelslag. Maar mijn ex, waar ik zo kapot van ben geweest, dat je hem uitkiest, *of all people*... En dat je dan ook nog iets over Dries durft te zeggen. Nou Lena, het valt me ernstig van je tegen. Of nee, sterker, ik vind het gewoon schijnheilig! Jij met je eeuwige oordelen!'

Zij met haar eeuwige oordelen? Is dat wat Gwen van haar vindt? Lena besluit de steek te negeren.

'Logisch wat je denkt, Gwen, ik had het je meteen moeten vertellen. Maar het stomme is dat ik het alweer vergeten was. Ik heb inderdaad in een roes met Pieter gezoend, zondag, had veel te veel gedronken. Ik kwam hem tegen op een receptie in de galerie. We gingen daarna nog wat drinken en opeens... ontzettend stom. Ben van schrik ook ogenblikkelijk naar huis toe gegaan. Gwen, echt heel erg sorry. Het stelde niets voor.'

'Het stelde niets voor. Ook zo'n platitude. Als ik zou reageren zoals jij dat doet, kunnen we dus wel gewoon ophouden.'

Daar heeft Gwen een punt. Natuurlijk is Lena ook fout geweest. Ze kan het wel afdoen als een onbetekenend vergissinkje, maar Gwen laat haar eventjes haarfijn zien hoe je de dingen kunt opblazen.

'Je hebt gelijk,' zegt ze daarom. Het feit dat Pieter voor zover ze weet geen relatie heeft, en Dries wel getrouwd is, doet daar niets aan af. Althans, voor haar vriendin uiteraard niet. Want Lena is natuurlijk wel getrouwd. Maar ze heeft en wil ook geen relatie met die Pieter. Beter om nu niet het laatste woord te willen hebben.

'Hoe weet je het eigenlijk?' vraagt Lena om het gesprek een iets andere wending te geven.

'Je kunt beter vragen hoe ik het niet had kunnen weten. Ik hoorde het van een collega die Pieter was tegengekomen. Je kunt er dus gevoeglijk van uitgaan dat hij het aan iedereen vertelt. Hij zal er wel trots op zijn, hem kennende.'

'O. Nou ja, jammer dan.'

‘De kans is dus wel aanwezig dat Marcel het ook te horen krijgt,’ waarschuwt Gwen haar nog.
‘Ja, ik ga het hem zeker vertellen.’
Als een bliksemflits bij stralende zon beginnen Gwens blauwe ogen weer te schitteren. ‘Ha! Ik vind het eigenlijk wel een bak, die Lena! Zo keurig ben je dus ook weer niet. Het maakt je trouwens wel menselijk!’
‘Ja, bijna net zo menselijk als jij! Daar drinken we op, *cheers*!’
Lachend klinken ze de glazen water tegen elkaar. Eindelijk, de spanning is weg. Natuurlijk moet ze ook niet zo over haar vriendin oordelen. Ze bedoelt het wel goed, maar ze begrijpt ook dat Gwen daar geen enkele boodschap aan heeft. Ze hoeft echt de moraalridder niet uit te hangen. Dat gaat ze morgen bij Marco dus ook niet doen.

HOOFDSTUK 23

Ze ziet er behoorlijk tegenop, die afspraak met Marco morgenmiddag. Lena heeft zich vast voorgenomen om de door Mireille gewenste relatietherapie bij hem te stimuleren. Vanavond wilde ze het uiteindelijk toch aan Marcel voorleggen. Kijken wat hij ervan dacht. Maar eerst zou ze haar zoen met Pieter opbiechten. Gwen had gelijk, de kans was groot dat het Marcel ter ore zou komen en dan kon ze het hem beter zelf verteld hebben. Dus toen de kinderen in bed lagen en Marcel net van plan was om weer naar zijn werk te gaan, 'om nog het allerlaatste ei te leggen, en dan was de lucht weer geklaard', vroeg ze of hij nog even wilde gaan zitten.

Met een verbaasd gezicht was Marcel neergezegen. 'Wat is er dan, Lena?' vroeg hij ernstig. Het gebeurde inderdaad niet vaak dat ze hem verzocht nog even te gaan zitten.

'Er moet me iets van het hart,' zei ze.

'Dat klinkt heel serieus.' Afwachtend keek hij haar aan.

'Ik vertelde je toch dat ik zondag na de opening nog een tijd met Pieter heb bijgekletst op een terras?'

Ze zag zijn ogen heen en weer schieten, vermoedelijk had hij niet geluisterd of was hij het alweer vergeten.

'Ja,' zei hij op een toon die duidelijk maakte dat hij geen idee had waar het over ging.

'Nou, ik had uiteindelijk echt wat te veel gedronken, natuurlijk door de euforie over die opening,' voegde ze er verontschuldigend aan toe.

'Ja, natuurlijk, dat kan ik me best voorstellen, hoor.' Ah, hij leek inmiddels weer te weten waar ze het over had. 'Je was

toch keurig met een taxi naar huis gekomen?'
'Dat wel. Maar bij het afscheid nemen, drie kusjes op de wang, zoende hij me opeens op mijn mond.' Zo was het natuurlijk niet gegaan, maar het maakte de gang van zaken wel wat aannemelijker. 'We hebben dus heel kort gezoend. Ik ben wel meteen gestopt, hoor.'
Tot haar ontzetting lachte hij opgelucht. 'Joh, ik ben blij dat je het me vertelt. Maar zo'n zoentje, dat stelt toch niet veel voor?'
'Je vindt het dus niet erg?'
'Welnee, ik weet hoe je over die Pieter denkt. Voortaan niet meer zo diep in het glaasje kijken. Dit was het?'
Ze knikte.
Hij keek op zijn horloge en sprong op. 'Dan moet ik nu echt gaan, anders wordt het eitje nooit gelegd, in ieder geval niet op tijd.'
Hij gaf een kus op haar mond. 'Lieverd, ik ben blij dat je zo eerlijk bent. Goh, wat houd ik van je.' En hij was de deur alweer uit.
Door zijn reactie was haar bericht over Mireille en Marco er helemaal bij ingeschoten.

Met gemengde gevoelens opent ze haar mailbox. Marcel neemt het wel heel licht op. Hij gaat er kennelijk van uit dat ze tot niets in staat is.
Kijk, een mail van Paul.

> *Lieve Lena,*
> *Ik snap dat je natuurlijk geen zin hebt in zo'n rally. Het was mijn enthousiasme. Maar zullen we eens daten, gewoon voor de gezelligheid?*
> *Paul*

O ja, dat had ze hem zondagnacht gemaild: dat een rally haar niet direct aansprak.
Ze klikt haar computer uit. Ze heeft nu geen zin om Paul te

antwoorden. Afspreken, gewoon voor de gezelligheid? Ze zal er eens een nachtje over slapen. Daten, het klinkt wel spannend!
Vertederd kijkt ze in het bedje. Uren kan ze naar de rustige ademhaling, de lange, zwarte wimpers op de roze wangen en het opengevallen mondje van Lauren blijven staren. Een unheimisch gevoel bekruipt haar. Ze heeft nog geen mail van Reinier gekregen; het gaat vast niet meer door. Nee, ze moet nu geen onrust gaan zaaien, dan doet ze de hele nacht geen oog dicht. En hij is natuurlijk veel te druk met zijn nieuwe expositie. Bovendien, het duurt nog een halfjaar, een halfjaar is zo lang. Ze moet gaan werken. Echt weer eens wat gaan doen. Haar gedachten en onrust gaan met haar op de loop.

HOOFDSTUK 24

'Zo, jij dacht, ik combineer het nuttige met het aangename,' begroet Marco haar als ze bepakt en bezakt bij het tafeltje aan het raam arriveert. Ze heeft zich ongans gekocht aan kleertjes voor Kim en Lauren. Natuurlijk weer niets voor haarzelf. Sinds ze die twee meiden heeft, komt ze vrijwel altijd met kinderkleding thuis, ook als ze er speciaal voor zichzelf op uit is gegaan.

'Zo is het, Marco,' lacht ze en ze kust hem op de wang. 'Hoe is het?'

'Naar omstandigheden, hè. Wat kan ik voor je halen?'

'Een cappuccino en een broodje tonijnsalade graag.'

Terwijl hij wegloopt, ziet ze dat zijn broek net zo gekreukeld is als zijn overhemd. Dat zou hem als hij nog bij Mireille was geweest, zeker niet zijn overkomen. Hij ziet er behoorlijk onverzorgd uit.

Ook erg vermoeid, constateert ze, als hij weer tegenover haar zit. Met zijn hand wrijft hij over zijn gezicht, alsof hij de zorgen weg wil vegen. 'Tja, ik begreep dus van Mireille dat je op de hoogte bent van onze stress. Maandag mocht ik Theo naar zwemles brengen en daarna vertelde ze het. O ja, die mevrouw waar je me mee zag was een collega, hoor. Dat meteen maar even, anders denk je misschien heel andere dingen. We moesten iets bespreken en omdat ik per se op tijd wilde zijn voor Theo, en niet het risico wilde lopen in een file terecht te komen, had ik met haar in dat café afgesproken. Zodat ik in ieder geval alvast in de buurt zou zijn.'

Klinkt plausibel. Maar dat gebaar over mevrouws achterwerk

hoorde vast niet bij de secundaire arbeidsvoorwaarden. Bovendien is deze uitleg wel erg uitgebreid. Was het inderdaad alleen een collega, dan had hij uitsluitend dat genoemd. Maar ze laat het zo.
'Heel verstandig van je,' zegt ze daarom. Ze neemt eerst een hap. Hm, verrukkelijke tonijnsalade.
Hij doet hetzelfde, maar kan kennelijk niet wachten totdat hij zijn mond leeg heeft. 'Het is hel, dit. Ook voor Mireille, natuurlijk, en zeker niet in de laatste plaats voor de kinderen. Het is geen mooi verhaal en ik ben er natuurlijk ook beslist niet trots op. Ik wilde er graag met jou over praten, omdat ik je vertrouw, je oordeel hoog acht, en ook omdat jij getrouwd bent en kinderen hebt en zo.' Een verontschuldigende lach, nederig. 'Maar ik kon niet meer, kon niets meer opbrengen, was totaal de weg kwijt,' vervolgt hij. Zijn broodje heeft hij neergelegd. 'Misschien hebben jij en Marcel ook weleens problemen gehad?'
Zeker wel, maar die gaat ze niet vertellen, in ieder geval niet nu. Hij is aan de beurt, het gaat om Mireille en hem. 'Ja, natuurlijk wel, alleen gaat het nu over jullie.' Zo, dat klinkt kordaat!
Marco knikt terwijl hij haastig nog een hap neemt. De dressing druipt langs zijn kin. Zou hij wel gegeten hebben de laatste dagen? Ze voelt een vlaag van medelijden, hij is duidelijk niet zichzelf.
'Jaja, natuurlijk, maar ik bedoelde, dan is een en ander misschien iets makkelijker te herkennen.' Hij probeert een glimlach, die jammerlijk mislukt.
'Nou, niets menselijks is mij vreemd, hoor.' Ze hoopt dat het schertsend klinkt.
'Kijk, laat ik vooropstellen dat ik stapelgek ben op de kinderen en ook op Mireille. Ik wil er alles aan doen om weer een gezin te vormen. Maar dan moet er wel het een en ander veranderen, anders zitten we binnen de kortste keren weer met dezelfde shit.' Hij kijkt haar aan.
Ze knikt.

'Toen nummer één geboren was, transformeerde Mireille van de vrolijke, levenslustige dame die ze was in een zorgelijke, tobberige huismoeder. Alles voor het kind. Ik leek niet meer te bestaan, of er in ieder geval niet meer toe te doen. En ik deed alles verkeerd, je kunt het zo gek niet bedenken of het was fout in haar ogen. Natuurlijk moest ik wennen aan het vaderschap, ik zei in die tijd vaak tegen haar dat zij al een voorsprong had, doordat zij het kind negen maanden in zich had voelen groeien. Boos dat ze dan werd! Stampvoeten, verwijten!'

Hij schudt zijn hoofd. 'Lena, dat wil je niet weten. Maar goed, ik begreep ook dat dit er allemaal bij hoorde. Dat het begin altijd moeilijk was en een kwestie van wennen. Maar voor mij wende het maar niet. Ik was natuurlijk hartstikke blij met Theo, alleen leek het wel een strafkamp als ik van mijn werk thuiskwam. Doe dit, doe dat, hoorde ik haar de hele dag gillen, en als ik dat vervolgens deed, was het allemaal weer helemaal verkeerd. Ik kon dus beter maar niets meer doen, had ik toen geconcludeerd. Dat ging natuurlijk van kwaad tot erger. Op het laatst zag ik haar alleen nog maar als een tierende sirene door het huis heen rennen.'

Op zijn voorhoofd verschijnen druppeltjes. Toch is het hier niet te warm. Marco praat intussen door. Hij voert het al hoge tempo nog wat meer op. 'Geen seks ook, natuurlijk, helemaal niets. Wonder boven wonder leek na ruim een jaar het tij enigszins te keren, en dat gaf mij goede hoop. Mireille wilde graag een broertje of zusje erbij voor Theo, en ik zag ook wel in dat het voor hem beter zou zijn. We waren nou eenmaal begonnen, dan afmaken ook. Ze was alweer snel zwanger van Eva en tussen ons ging alles goed.'

Lena wil echt dat hij nu een pauze neemt. Wat op adem komt, en stilstaat bij hoe het was toen het weer goed ging. Dat geeft haar ook de gelegenheid om rustig na te denken. Door het raam ziet ze onder zich mensenmassa's bedrijvig heen en weer lopen. Ze pakt zijn hand tussen de hare. 'Heel even wachten, Marco, oké? Neem een hap van je broodje.'

Maar hij schudt zijn hoofd en trekt zijn hand terug. Niet onvriendelijk; vermoedelijk brengt die houding hem uit zijn evenwicht.
'Maar Eva was er nog niet uit, of de hele ellende begon van voren af aan. Ik had gedacht dat het nu wel wat minder zou zijn omdat we met Theo al een boel geleerd hadden. Nou, nee dus. Wéér dat hele gedoe, en dan de wetenschap dat dit naar alle waarschijnlijkheid minimaal een jaar zou aanhouden. Ik werd er compleet benauwd van. Hyperventilatie, heb ik weleens gedacht. En uiteraard geen enkele intimiteit. Voelde me wederom zo ontzettend afgewezen. Ik geloof dat ik toen voor het eerst De Industrie heb opgezocht. Midden in de nacht, na alweer zo'n verschrikkelijke ruzie.'
Grappig dat hij het De Industrie noemt, denkt Lena, het maakt het bijna acceptabel.
'Ik naar de hoeren! Dat was wel het laatste wat ik van mezelf verwacht had, toen.'
Hij haalt zijn schouders op. 'Het verdient natuurlijk geen enkele schoonheidsprijs, maar het luchtte me toch op. Het zette mijn gedachten stil, voor even. Maar ik wilde het niet, voelde me zo slecht erna. Als een vies oud mannetje.' Hij zwijgt en kijkt haar afwachtend aan. Zijn broodje heeft hij gedurende zijn betoog niet meer aangeraakt. Hij gunt zich nu gelukkig wel de tijd om een slok koffie te nemen. Te hard zet hij het kopje terug op het schoteltje.
'Toen, zomaar opeens, hadden we een keer een gezellige avond. Voor het eerst had ze een paar glaasjes wijn gedronken en ontspande ze eindelijk. Die avond waren we sinds tijden weer dicht bij elkaar, zowel letterlijk als figuurlijk. En wat denk je wat,' roept hij uit terwijl hij met zijn vlakke hand op de tafel slaat, 'meteen weer raak, natuurlijk! Dat werd Olivier. Ook die zwangerschap werd een geweldige tijd. Ik heb weleens gedacht dat Mireille in verwachting op haar best is. Maar ik heb me toen wel meteen laten steriliseren, want nog een keer, nou nee.'
'Heb je dat gedaan? Wat knap van je, ik hoor zo vaak van

mannen dat ze daar de grootste moeite mee hebben! Maar jij hebt het dus gewoon gedaan, petje af, hoor!'
Ze ziet zijn ogen verrast oplichten. Hij is duidelijk gestreeld door het compliment. Eindelijk heeft hij iets goed gedaan.
'Dat was achteraf gezien best een ongelukkige combinatie, want natuurlijk verviel Mireille na Oliviers geboorte weer in haar oude rol. En het was ook een stuk drukker geworden met inmiddels drie kleintjes. Noem het zwak, maar ik dacht dat ik gek werd. Het bleef continu malen in mijn hoofd. Was dit het leven? Waar waren Mireille en ik in vredesnaam aan begonnen? En we praatten helemaal niet meer, dat deden we eigenlijk al jaren niet meer.'
Ze besluit hem nu niet meer te onderbreken. Het zit hem zo hoog, hij moet het duidelijk kwijt en wel zo snel mogelijk. Wie weet hoe vaak hij dit verhaal al voor zichzelf gerepeteerd heeft? Zo klinkt het in ieder geval wel.
'De enige communicatie tussen ons bestond uit: doe dit, doe dat, en dan al die verwijten. Ik heb nog weleens voorgesteld om een weekend samen weg te gaan, maar daar wilde ze niet van horen. Ze wilde haar kinderen aan niemand uitbesteden, nog geen dag! Nu ja, je snapt het misschien al. Het oude liedje. Ik heb er altijd voor gewaakt geen affaire te beginnen, want ik wist dat ik dan verloren zou zijn. Als ik verliefd zou worden, zou ik zeker weggaan, en alles wat me lief is kwijt zijn. Dus eigenlijk dacht ik het zo nog goed op te lossen, voor zover je daarvan kunt spreken, natuurlijk.'
Hij drinkt zijn kop leeg en haalt diep adem. Lena heeft het er benauwd van gekregen, van deze heftige, intens treurige monoloog.
Ze voelt nu veel mededogen met de man tegenover haar en ze weet ook dat van alles wat hij vertelt, geen woord is gelogen. Ze kan het zich helemaal voorstellen, want ze kent Mireille door en door. Haar vriendin is een perfectioniste pur sang, die zichzelf op zou offeren voor de in haar ogen goede zaak. Nu had ze dus bijna haar huwelijk opgeofferd, maar dat kon nooit de bedoeling zijn.

'En dan al die vakanties naar die kinderpretparken, ik werd er compleet gestoord van. De ene dag met de kinderen naar het zwemparadijs, waar je met nog zo'n vijftienhonderd man in het te warme water staat om je bloedjes geen moment uit het oog te verliezen. De volgende dag naar de speeltuin, meedoen met de uitgezette speurtochten, 's avonds met andere ouders gezellig wat lappen vlees op de barbecue leggen, en vooral leuk blijven doen. Ik werd er doodmoe van, en dat noemen ze dan vakantie. Althans, Mireille in ieder geval wel.'
Lena denkt terug aan hun eigen mislukte weekendje kinderpretpark vorig jaar. Dat waren drie dagen geweest, maar toen was ze al bekaf geweest. Marcel trouwens ook.
'Hoe dan ook, ik was blij toen ze voorstelde om parttime in het ziekenhuis te gaan werken, en dat ze voor de kinderen opvang ging regelen. Dat was een nieuwe ontwikkeling, maar eigenlijk was het al te laat. Ik had die drempel naar De Industrie natuurlijk al lang geleden genomen.' Hij zucht, beschaamd.
Ze voelt zich een biechtmoeder, maar ze is inmiddels wel erg blij dat hij haar heeft uitverkoren voor deze rol.
'Zo, en nu weet je alles.' Hij leunt achterover en neemt zijn broodje weer ter hand.
De informatie duizelt haar. Ze is in vertrouwen genomen, opnieuw, en wil nu wél meelevend reageren.
Ze wil goedmaken waar ze bij Mireille misschien faalde. Maar ook weer niet te goed, want dan had ze dat bij Mireille moeten doen, niet bij hem.
'Ik ben blij dat je me dit allemaal hebt willen vertellen,' zegt ze. 'Wat moeten jullie een vreselijk moeilijke tijd achter de rug hebben. Samen, en ieder apart. En eh, ik denk dat het aan de ene kant goed is dat het allemaal is uitgekomen. Er is gaandeweg iets tussen jullie in geslopen, wat weer weg moet. Zoals je zei, praatten jullie helemaal niet meer. Jullie moeten weer leren praten met elkaar, dat is zo belangrijk!'
Ha, hoor wie het zegt, schiet het door haar heen. Nou ja, Marcel en zij hebben deze problemen gelukkig niet.

Marco knikt. 'Ja, we moeten elkaar absoluut opnieuw ontdekken. Begrijpen vooral ook.'
'Daar hebben jullie denk ik wel iemand bij nodig. Een neutraal persoon, die de valkuilen kan herkennen. Een relatietherapeut dus.'
Geschrokken kijkt hij haar aan. 'Een relatietherapeut? Daar begon Mireille laatst ook al over.' Vastberaden schudt hij zijn hoofd. 'Nee, daar zie ik niets in. Als je samen de problemen niet op kunt lossen, wat zoek je dan bij elkaar? Dan moet je geforceerd aan een psycholoog gaan vragen hoe je in godsnaam met elkaar om moet gaan?'
'Nee, je stelt het nu wel heel zwart-wit. Jullie hebben toch ooit voor elkaar gekozen en kinderen gekregen omdat jullie elkaar zo leuk vonden? Nou, dat gevoel van toen, dat moet je weer zien te vinden, denk ik. En dat kan alleen als alle muizenissen weg zijn. Er is een heleboel veranderd in jullie leven en dat ook nog in een heel hoog tempo, met de kinderen op rij. Het is niet zo gek als je dat niet bij kunt benen en elkaar tijdelijk kwijtraakt. Ik vind het juist lovenswaardig als je je huwelijk en je kinderen zoveel waard vindt, dat je besluit om alles binnen zo kort mogelijke tijd weer op de rit te krijgen. En dat kan volgens mij alleen met deskundige hulp, tenminste, als je het snel wilt.'
Er verschijnt een verraste blik in zijn ogen. 'Tja, zo had ik het nog niet bekeken.'
'Denk er maar over na,' besluit ze. Walgelijk is ze, dominee Lena weer, maar kennelijk kan ze het niet anders, en ze moet trouwens nodig weg, want om halfvier moet ze alweer bij school zijn. En Marco zal vast nog wel moeten werken vandaag. Ze staat op.
'Kom hier,' zegt ze terwijl ze haar armen uitnodigend voor hem opent. 'Denk er rustig over na en neem vooral alle tijd. En vergeet niet Mireille bij te staan, dat heeft zij hard nodig. Ze staat er nu wel helemaal alleen voor met de kinderen.'
Nog net op tijd slikt ze haar gebruikelijke 'Amen' in, wat ze er altijd aan toevoegt als ze vindt dat ze preekt, maar dat zou

nu niet gepast zijn. Tjongejonge, al die betuttelende woorden van haar, ze zou zichzelf nooit als vriendin in vertrouwen nemen.
'Dank je wel, lieve Lena, je hebt me echt geholpen,' zegt hij als ze hem in een warme omhelzing strak tegen zich aan drukt.

HOOFDSTUK 25

Opgetogen gaat ze weer achter haar schildersezel zitten. Ezel, ze heeft het altijd een raar woord gevonden voor de standaard die het is. Ze moet zich inhouden om niet als een woesteling tekeer te gaan, nu wil ze het afmaken ook. En wel heel erg snel. Eindelijk heeft ze dan de juiste uitdrukking weten te vangen. Het was inderdaad de kwetsbaarheid, die Gwen tot nu toe miste. Die combinatie van uitdagend en kwetsbaar, dat is wat haar vriendin maakt tot wat ze is: beeldschoon en onweerstaanbaar.

Dit zijn de mooiste momenten van schilderen, als het na veel geworstel, getob en grote wanhoop uiteindelijk lukt. En dit dreigt te gaan lukken. Als het net zo goed wordt als het zich nu laat aanzien, kan ze dit doek misschien voor haar expositie gebruiken. Maar die moet dan natuurlijk wel doorgaan.

Yes! Ze heeft zin om te dansen nu. Dus weet ze dat ze moet stoppen, afstand moet nemen, omdat de kans groot is dat ze het in haar ongeduldige enthousiasme verpest. Morgen gewoon weer een dag. Even de radio hard aan dan.

'*Don't go for second best baby, put your love to the test*,' schalt Madonna door het atelier. '*Express yourself*,' zingt Lena luid mee, terwijl ze een wilde draai maakt. Geweldig, dit dansen, lekker uitleven. Niemand die haar ziet.

'*So if you want it right now, make him show you how...*' De volgende draai brengt haar op een idee: Paul, ze heeft zijn laatste mail nog niet beantwoord. Swingend loopt ze naar haar computer en roept zijn laatste bericht met het voorstel om eens te daten op.

Net als ze de mail wil openen, komt er een bericht van Jim2082@hotmail.com binnen. Ze overweegt om het direct te wissen, maar besluit toch even te kijken.

Beste msn'ers, Mailen is hot, maar soms wordt het rot. Wees op uw hoede voor getrouwde vrouwen die spanning zoeken. Bovendien, wat zou u willen met zo'n moeke? Uw goedbedoelende Jim.

Wat een stakker, ze klikt het bericht weg en tikt:

Lijkt me leuk, Paul, doen we snel! Ben nu ff heel erg druk, maar time flies when... etc. Tot gauw!
Dikke kus, Lena.

Hup, verstuurd alweer. Dikke kus? Wat kan het schelen ook. Lachen, dit. Nu weer lekker verder dansen. Hoort ze het nou goed of zit die tringel in de muziek? Ze zet de radio zachter. Nee, zie je, het is de telefoon die gaat.
'Lena,' hijgt ze in de hoorn.
'Ha Leen,' klinkt het opgewekt. Het is Mireille.
'Hé, hoe is het?'
'Nou, ik kan niet anders zeggen dan goed. Ik voel me goed in ieder geval. Een stuk rustiger en het is inmiddels allemaal wat overzichtelijker. Verder is er nog weinig ontwikkeling hoor, alles natuurlijk nog een beetje hetzelfde. Maar het goede nieuws is dat ik gisteravond lang met Marco aan de telefoon heb gezeten. Een lang, eerlijk en eigenlijk buitengewoon goed gesprek was het.'
'Ah, dat klinkt inderdaad erg goed!'
'Absoluut. Hij heeft dingen verteld die ik nog niet eerder van hem heb gehoord en die wel eyeopeners zijn, moet ik zeggen. Kort gezegd komt het erop neer dat we elkaar erg missen, dat hij de kinderen natuurlijk ook heel erg mist, en dat we besloten hebben om ons huwelijk hoe dan ook nog een kans te geven.'

‘Mirei, wat geweldig!’
‘Ja, ik zei dat ik dat alleen wilde onder de voorwaarde dat we in relatietherapie zouden gaan, en hij ging meteen akkoord! Ik zei ook dat ik alles wilde weten over zijn hoerenloperij, echt alles, waarop hij me verzekerde dat hij het uit-en-te-na uit de doeken zou doen. Voorlopig blijft hij nog in Amsterdam, hoor, maar hij zei wel een keer of vier dat ik hem wanneer dan ook voor alles kon bellen, ook als hij bij moest springen met de kinderen. Ook overdag. Hij zou overal vrij voor maken. Hij zag ook in dat hij nog weleens wat steken had laten vallen op dat gebied, en wil niets liever dan zijn leven beteren. Wat vind je, Leen, klinkt wel hoopvol, niet?’
Ze hoort zichzelf op hoge toon jubelen dat ze helemaal blij wordt van dit bericht dat haar dag, nee haar week, haar maand, haar jaar maakt.
Een stuk kalmer dan Lena zegt Mireille dat ze nu op haar werk zit en dus weer op moet hangen. Ze wilde dit echter wel even zeggen, in het kader van het goede nieuws dat altijd te traag gaat.
Lena hoort aan Mireilles stem hoe opgelucht ze is. Ze heeft een knoop doorgehakt. Fantastisch.

Wow! Wat een dag! Ze rent naar de cd-speler en zet *Lovely day* van Bill Withers op. Dit is ontegenzeggelijk zo’n dag. Heeft ze gisteren heus een goede daad verricht. Ze maakt een sprong op de plaats, misschien heeft ze zelfs een bijdrage geleverd om dit huwelijk te redden! Marco heeft haar raad om in therapie te gaan opgevolgd. Ze heeft het toch toegankelijk voor hem weten te maken! Natuurlijk gaat ze Mireille nooit vertellen van het gesprek dat ze met hem had. Voor nu moet Mireille vooral denken dat ze dit op eigen kracht voor elkaar heeft gekregen. Eventueel later een keer, als alles alweer lang verleden tijd is en ze er misschien zelfs wel over kunnen lachen. O, wat een geweldig nieuws! In ieder geval in de allereerste plaats voor hun kinderen, want die hebben ze niet voor niks samen gemaakt.

HOOFDSTUK 26

25 augustus 1997

'Hé Lena, ga je er nu al vandoor?' Michael keek haar niet-begrijpend aan.
'Ja Mick, ik moet nog een paar zaken regelen, fijn weekend.'
Opeens had ze het zeker geweten. Ze wilde van deze onzekerheid af, en wel ogenblikkelijk. Met haar jas half aan zette ze haar glas op de bar. Het was nog niet eens leeg, en nog maar haar eerste wijntje ook. Inderdaad niets voor haar. Sowieso niet om de vrijdagmiddagborrel zo vroeg al te verlaten. Gewoonlijk was ze een van de laatsten, maar nu waren er belangrijker dingen aan de orde. Ze draafde langs de koffiemachine en pakte daar twee lege koffiebekers weg. Kalm aan, ze was nog ruimschoots op tijd, het was pas bij vijven. Gewoon uitsluiten, meer niet, bedacht ze terwijl ze haar auto naar de apotheek reed. Zover ze wist was ze nog niet eens over tijd, dus vermoedelijk zou er echt wel niets aan de hand zijn. Ze had alleen nog nooit zulke harde, pijnlijk opgezwollen borsten gehad. Dat hoefde natuurlijk helemaal niets te betekenen, maar toch. Even zo'n ding kopen, testje doen en dan kon ze tenminste met een gerust hart aan haar weekend gaan beginnen. Ze moest wel lachen om die bekertjes. Als ze nou verstandig was, zou ze die test thuis doen, in alle rust. Maar niks rust, haast was nu aan alle kanten geboden, en ze had een lange rok aan. Daar kon ze het allemaal onder laten gebeuren. Ze wilde daarna meteen door naar de kroeg. Natuurlijk was het druk op de weg. Spits, maar geen file.

Op de parkeerplaats waren alle plekken bezet. Ai. Dan zette ze hem wel daar achteraan, op de stoep. Daar passeerden niet veel mensen ook, ze stond er lekker beschut. In de apotheek stond wel een file, ze moest achter een lange rij aansluiten. Maar eindelijk was ze dan toch aan de beurt.
'Een predictortest graag,' vroeg ze zachtjes. Niet iedereen hier hoefde te weten wat ze ging doen.
'Een dubbele of een enkele?' informeerde de apothekersassistente.
'Een enkele graag.' Ze keek om zich heen. Er waren geen nieuwsgierige blikken haar kant op.
Grappig dat ze dan opeens weer de conservatieve Lena was. Haar katholieke opvoeding liet van zich horen.
'Mira, de code pakt niet, wat kost een enkele ook weer?' informeerde de juffrouw bij haar collega, terwijl ze de test omhooghield.
Ja hoor! Deed zij haar best om het zo discreet mogelijk te doen, verpestte deze apothekersassistente het. Nu was meteen de hele zaak op de hoogte.
Geïrriteerd rekende ze het ding af, stopte het in haar tas en liep met opgeheven hoofd de apotheek uit. Op naar haar auto.

Wat een ontzettend goed plekje was dit eigenlijk. In deze doodlopende hoek kwam inderdaad niemand. Nu even opperste concentratie. Nu geen fouten maken, ze had één zo'n staafje en het moest dus wel in één keer goed gaan allemaal. Vluchtig las ze de gebruiksaanwijzing. Nou, moeilijk kon het niet zijn. Ze zat op de plaats naast de bestuurdersplek, want het stuur zou haar handelingen belemmeren. Bekertje erbij. Gelukkig hoefde ze niet erg nodig. Wat een gedoe, zeg. Door haar knieën gezakt leunde ze met de achterkant van haar billen tegen de stoel en deed een plasje in de beker, die ze er met haar rechterhand onder hield. Met haar linkerhand hield ze haar rok omhoog. Toch lastig, die lange rok, bleek nu. Dit was een wel zeer vermoeiende gymnastiekoefening!
Ze kreeg het bekertje bijna vol. Staafje erin. Rustig tot tien tel-

len. En voor de zekerheid nog maar een keer. Weet je wat, ze telde nog wel even tot dertig. Zo, dit moest lang genoeg zijn. Dopje op het staafje. Horizontaal neerleggen. Niet op het dashboard, je wist nooit wie er nog bij haar auto opdook. Ze legde het op de zitting van de bestuurdersplek. En nu wachten. Ze stapte de auto uit, liep naar de afvalbak op de hoek, leegde de inhoud van het bekertje in de bosjes alvorens dat in de bak te gooien en stak een sigaret op. Op de parkeerplaats liepen mensen af en aan. Auto's draaiden de parking op en weer af. Net zoals altijd, niets bijzonders, alleen nu kwam het haar vreemd voor. Wat een drukte. Waar kwamen al die mensen vandaan en waar gingen ze naartoe? Vanuit de lucht moest het hier op een mierenhoop lijken. Allemaal miertjes die druk bezig waren zich te verplaatsen.
Ze gooide haar sigaret op de grond en drukte die met de punt van haar schoen uit. Het uur van de waarheid. Nee, de seconde van de waarheid, want langer zou het niet duren. Nog even en ze kon breed lachend haar welverdiende weekend gaan vieren! Ze opende het portier en ging weer op dezelfde plek zitten. Met haar linkerhand pakte ze het staafje erbij. Stilhouden die hand, het zou de uitslag kunnen beïnvloeden!
De uitslag stond vast. Onmiskenbaar dubbel roze. Een groot donkerroze rondje op de plek waar niets zou moeten verschijnen. Nee! Of, misschien had ze het verkeerd gelezen? Haar handen beefden te hevig. Ze zag de letters van de gebruiksaanwijzing voor haar ogen dansen, zo was er geen touw aan vast te knopen. Ze legde het papiertje op haar schoot. Dat ging beter. Ja, het stond er echt: bij één gekleurd venster, geen zwangerschap. Bij twee: zwanger.
Ze legde het papiertje naast zich en haalde diep adem. Zwanger! Zij! Ze nam er nog maar een sigaret bij en stopte die gelijk weer terug in het pakje. Dat mocht nu ook niet meer, roken. Ze voelde een soort trots in zich opkomen, eigenlijk had ze nooit gedacht vruchtbaar te zijn. Onwillekeurig legde ze haar hand op haar buik. Daar groeide dus iets. In haar buik een nieuw leven! Ze had altijd gedacht dat als het ooit een

keer zo zou zijn, als ze dan misschien toch zoiets mee zou mogen maken, ze wild van blijdschap zou zijn. Maar ze was niet blij.
'Ach, dat worden ze uiteindelijk allemaal,' hoorde ze Victor weer zeggen. De sukkel! En dat zou dan de vader van haar kind moeten zijn? Wat moest ze nu doen? Moest ze hem bellen? Het antwoord had hij eigenlijk al gegeven. Nee, ze wilde dit kind de vernedering besparen en haarzelf natuurlijk ook. Ze gunde hem zelfs niet dat hij mee mocht delen in de kosten. Want dat was wat hij in het meest gunstige geval zou aanbieden. Wat een armoe. Zou ze het dan alleen gaan doen? Nee, uitgesloten. Onmogelijk, met haar drukke baan. En geld zou er dan natuurlijk dubbel en dwars verdiend moeten worden. Dan zou ze haar kind later uit moeten leggen dat het geen vader had, omdat hij er niets van had willen weten. O, o, o! Wat een Z-film. Zo wilde ze geen kind krijgen! Het kind had dan meteen al een grote achterstand, zou misschien een minderwaardigheidscomplex ontwikkelen omdat het zich ongewenst voelde. Maar er waren natuurlijk genoeg moeders die het wel zo deden, zonder traumatische gevolgen. Dan kon zij dat ook wel? Nee, ze had werkelijk geen idee hoe ze dat zou moeten doen. Ze zou vanaf dag één het kindje uit moeten besteden, en dat niet voor een paar dagen per week. Nee, voor bijna altijd. Want 's avonds werkte ze veel, en in het weekend moest dat ook nogal eens gebeuren. Dat kon toch helemaal niet! En wat zou dat allemaal wel niet gaan kosten, vermoedelijk zou haar hele salaris alleen daar al aan opgaan.
Ze schaamde zich diep. Zesentwintig was ze, en ze voelde zich een puber van zestien. Die dit was overkomen. Maar zij had veel beter moeten weten. Ze stopte het staafje voorzichtig in haar tas. Dat wilde ze nog even bij zich houden. Ze stapte de auto uit. Huilen zou ze later wel doen. Er was een boek, wist ze. Een boek van een Zweed of een Deen. In ieder geval iemand uit het Hoge Noorden. En in dat boek stonden allemaal foto's vanaf de bevruchting. Die wilde ze zien. Ze wilde weten wat er zich nu ongeveer diep binnen in haar afspeelde.

Hoe ver was het dan? Wanneer was ze met Vic naar bed geweest? Ze werd vervuld van een misselijkmakende walging. Dat die laatste keer zo'n desastreus gevolg had. Eigenlijk het mooiste gevolg dat je je kunt bedenken, maar in dit geval was het verschrikkelijk. Zoiets prachtigs, wonderlijks, dat lang niet iedereen gegeven was! Eigenlijk misschien wel het mooiste dat er in het leven bestond, in ieder geval bestond het leven eruit. De voortgang.
Vorige week maandag was het geweest. Op haar vingers telde ze de dagen. Elf dagen dus nog maar. In de boekwinkel liep ze naar de plank met medische boeken. Daar zou het vast bij moeten staan. Nee, het stond in het schap ernaast. Lennart Nilsson: *Het Grote Wonder*. Ja, dat moest het zijn! Ongeduldig bladerde ze in het boek. Ze wilde niet lezen, ze wilde zien. Foto's zien. Ja, daar op bladzijde zesenzestig, een foto van elf dagen, precies wat zij was! Het zag eruit als een kraterlandschap in de woestijn. Het was een grote klomp cellen, er was nog niets menselijks in te ontdekken. Althans, die vorm had het totaal nog niet. Gelukkig. Dat scheelde al meer dan de helft. Meteen daarna kwam het hoofdstuk 'Soms gaat het mis'. En dan heette het in dit stadium een vroege miskraam. Zie je, dat kon natuurlijk ook nog. Er kon ook iets niet goed gaan, en dan zou je vermoedelijk alleen een wat overdreven grote menstruatie krijgen. Niet eens weten dat je zwanger was geweest. Zo moest ze het ook zien. En abortussen bestonden niet voor niets. Het was nog heel erg pril. Als ze deze test niet had gedaan en ze had onwetend doorgerookt en doorgedronken, was dat misschien alleen al aanleiding voor een miskraam geweest. Ze wist het nu zeker: ze ging het doen, en wel meteen maandag regelen. Ze zou hem niets vertellen. Te veel eer.

HOOFDSTUK 27

'Nou Lena, wat schitterend! Hij is echt geweldig, weergaloos gewoon, en wat een eer ook, zeg! Dat je zomaar míj wilde schilderen, ongelooflijk, wat kun je dat toch onnavolgbaar goed! En natuurlijk hang ik graag op je expositie. Ik vind het super, *yeah*!'
Glunderend loopt Gwen met de print die Lena haar zojuist gaf, door de tuin te paraderen. Ze houdt hem met gestrekte armen voor zich, omhoog, dan weer heel dichtbij, naar links en naar rechts.
'Youwzaaa!!!' Met afbeelding en al maakt ze een hoge vreugdesprong. Vervolgens zet ze het ingelijste karton op de zitting van een tuinstoel en gaat er zelf tegenover zitten.
Lena heeft een kopie van het origineel laten maken zodat haar vriendin die mee naar huis kan nemen.
Gwen sjort wat aan haar ultrakorte rokje om de boel voor zover mogelijk bedekt te houden. Ach, ze kan het uitstekend hebben. Ze slaat haar slanke benen elegant over elkaar. 'Zo, kan ik lekker blijven kijken naar mezelf,' lacht ze, natuurlijk stralend als altijd.
'Roseetje, Gwen?' vraagt Lena glimlachend. Ze is zelf ook verguld met het resultaat. En het enthousiasme van Gwen werkt altijd aanstekelijk.
'Roseetje? Een dubbele graag! Heb ik namelijk wel verdiend, en jij in ieder geval! Ik weet al waar ik hem hang, boven de schoorsteenmantel. Boven mijn nepopenvuurtje. Hangt-ie mooi midden in de kamer, kan iedereen hem zien,' mijmert ze. 'Of vind je dat té, te overdreven dat ik een portret van mezelf

zo prominent ophang? Nou, ik vind het in ieder geval niet te. Je hebt het zo mooi gemaakt, het verdient geen andere plek,' beantwoordt ze zelf haar vraag. '*Cheers*! Heb je eigenlijk nog iets over je expositie gehoord?'
'Nee, dat duurt ook nog een paar maanden, hè, ik ga een dezer dagen wel weer even bij Reinier langs. Kan nooit kwaad. Pappen en nathouden heet dat.'
Dat zijn eigenlijk helemaal geen woorden voor haar, maar wel voor Gwen. Af en toe moet je eens wat empathisch zeggen. Bovendien wil ze Gwen niet lastigvallen met haar onzekere gevoel over die expositie. Ze gelooft er eigenlijk totaal niet meer in. Reinier vindt vast dat hij het te impulsief heeft aangeboden. Hij heeft spijt en weet nog niet hoe hij zijn toezegging moet terugdraaien. Anders had ze toch allang iets gehoord?
'Over pappen en nathouden gesproken, hoe was je weekendje Parijs?' vraagt Lena.
'Oe, dat is een verhaal geworden!'
Natuurlijk, Gwen zou eens een keer geen verhaal hebben.
'Ik wil het allemaal horen, van a tot z, dus brand los,' lacht Lena, terwijl ze haar glas proostend omhooghoudt.
'Het was ontzettend leuk. Tenminste, zo begon het. Vrijdagavond om zeven uur was ik bij zijn hotel. Prachtig hotel trouwens, vlak bij de Opéra. We hebben heerlijk gegeten in zo'n typisch Parijs restaurantje in de buurt van Montmartre. Zo romantisch, en de lekkerste kreeft ooit heb ik daar gegeten.'
'Hm ja, kreeft, heerlijk!' zwijmelt Lena mee.
'Daarna naar de Buddha Bar. Volgens Dries nog steeds *the place to be*, en dat bleek ook wel, want het was er razend druk. Boven hebben we wat gedronken, maar door de keiharde muziek en de boven op elkaar gepakte mensenmassa hielden we het al vrij snel weer voor gezien. Toen zijn we naar het hotel gegaan, hebben een zinderende nacht gehad en de volgende dag eerst zo'n Frans ontbijt, met van die onovertroffen, echte croissants. Toen een toeristisch dagje Parijs

gedaan. We gingen eerst naar Centre Pompidou, heel verantwoord wat cultuur opsnuiven.'
'Leuk, wat hing er?' vraagt Lena belangstellend.
De grote blauwe ogen kijken haar beduusd aan. Daarna meteen lachend. 'Goeie vraag, Leen, geen idee. Cultuurbarbaar *moi*, hè.'
'Jij had natuurlijk alleen maar oog voor Dries.'
'Zo is het, toen nog wel. Maar goed, daarna hebben we koffiegedronken in dat café van Philippe Starck, daar vlakbij. 's Middags ergens geluncht. Toen moest ik natuurlijk nog wel even shoppen en zijn we naar Galeries Lafayette gegaan. Mooie Louis Vuitton van Dries gekregen.'
'Joh, je meent 't! Waar is-ie dan?'
Gwen haalt onverschillig haar schouders op. 'Thuis. Ik vind het eigenlijk te gênant, zo'n prijs voor een tas, dan heb ik liever een neppertje. Hij wilde ook nog lingerie voor me kopen, maar goddank was het toen al bijna sluitingstijd. Ik ben natuurlijk niet te koop.'
Ha, die Gwen! Wat zou er in vredesnaam gebeurd zijn?
'Daarna weer verrukkelijk uitgebreid gegeten. En om een uur of tien zijn we naar het hotel gegaan. Ik had nog wel doorgewild, met name Dries kon geen pap meer zeggen. En toen gebeurde het.'
Gwen neemt een dramatische pauze en kijkt haar onheilspellend aan. 'Weer op de hotelkamer ging Dries direct onder de douche. Ik hing wat op het bed naar een of andere Franse tv-quiz te kijken. De telefoon ging. Ik dacht dat het de receptie zou zijn, dus nam nietsvermoedend op.' De blauwe ogen staan schuldbewust, maar het spottend ondeugende overheerst. 'Je raadt het natuurlijk al: zijn vrouw!'
'Je meent het niet! Gwen! En toen?'
'Nou, ik moet zeggen, ze klonk uiterst beheerst. Ze zei: 'Goedenavond, u spreekt met Miranda den Hartog. Is Dries misschien aanwezig?' Ik overwoog nog te zeggen dat hij er niet was, dat ik geen Dries kende, dat ze verkeerd moest zijn doorverbonden. Maar ik realiseerde me ook dat dit onzin

was, want dan zou ze weer bij de receptie terechtkomen. Het zou het uitsluitend verdachter maken. Ik antwoordde dus net zo koel als zij: 'Ja, hij is hier in het hotel. Kan ik vragen of hij u terugbelt?'
'Dat is goed,' antwoordde ze en ze verbrak ogenblikkelijk de verbinding.'
Gwens lichtblonde haar glanst in de zon. Ze neemt een slok van haar rosé en met dat glas zo in haar hand lijkt ze een oogverblindende filmster. Ze zou zoals ze daar zit bij die witte parasol, met die benen waar geen einde aan lijkt te komen over elkaar geslagen, zo uit een Martini-commercial gestapt kunnen zijn.
Lena merkt dat ze in pure meebeleving haar hand voor haar mond heeft geslagen. Dat is toch wat oubollig.
'Tuutuut! Boem!!' zegt ze daarom, dat maakt het iets vlotter. In ieder geval luchtiger. 'En toen en toen?'
'Nou, vlak daarna kwam Dries met grof geschut de douche uit. 'Dat komt alleen door de gedachte aan jou,' zei hij terwijl hij me achterover op het bed duwde. 'Alleen jij kunt dat bij mij bewerkstelligen,' fluisterde hij in mijn oor.
'Je vrouw belde net,' zei ik.
'Grapjas,' lachte hij en hij ging door met zoenen.
'Nee, echt,' zei ik toen maar weer.
Hij keek me aan en zag aan mijn gezicht dat ik het meende. Onmiddellijk stond hij rechtop naast het bed.
'En jij hebt opgenomen?' vroeg hij. Je had zijn ogen moeten zien! Als blikken konden wat ze erover zeggen, had ik hier nu niet gezeten.
'Stomme trut,' hoorde ik hem zeggen, terwijl hij de telefoon oppakte. Stomme trut! Wie was hier nou stom? Ik toch zeker niet! Woedend liep ik de kamer uit en ging maar onder de douche staan. Ik wilde ook niet horen wat hij zijn vrouw te vertellen had. Toen ik de douche uit kwam lag hij te slapen, of deed net alsof. De volgende ochtend zijn we zonder ontbijt vertrokken. Hij wilde meteen naar huis. Het lastige was dat hij met de Thalys naar Parijs was gekomen en we dus samen

in mijn auto terug moesten. Die hele rit was een martelgang. Gelukkig was het niet druk op de weg, dus ik kon flink gas geven. Ik geloof dat we het in vier uur gereden hebben. Vier uur! Schandalig hè, maar het leken er wel vierentwintig. Hij heeft de hele tijd niets tegen me gezegd, behalve op het eind, toen commandeerde hij me hem niet voor zijn huis af te zetten. Ik moest om de hoek stoppen. Bah bah bah, ik neem nog een roseetje, hoor, om de vieze smaak weg te spoelen.'

'Ai, en zeker nooit meer wat van hem gehoord?'

'Nooit meer wat van gehoord?' Gwens ogen staan fel cynisch. De verontwaardiging spuit er bijna uit. Dan proest ze het uit, de slok rosé belandt op het witlinnen tafelkleed.

'O, sorry, Leen,' zegt ze lachend, terwijl ze voor de vorm met haar vinger over de vlek wrijft. Alsof dat helpt.

'Joh, laat zitten, die gaat straks mee in de huiswasserette.'

'Het mooiste komt nog!' gilt haar vriendin nu hilarisch. 'Op dinsdagochtend werd ik gebeld door... Nou, door wie denk je?' Haar ogen zijn weer een en al uitdaging.

'Door Dries denk ik?' reageert Lena voorzichtig.

'Nee! Door Miranda den Hartog *herself*! Geen idee hoe ze mijn nummer wist, dat heeft ze misschien zelfs wel van haar liefhebbende echtgenoot gekregen, wie zal het zeggen. In ieder geval klonk ze weer uiterst beheerst, bijna vriendelijk zelfs, en ze zei dat ze heel graag met me wilde praten. Dat ze mij niets kwalijk nam, maar dat ze iets wilde vertellen en dat alleen persoonlijk wilde doen. Tja, mijn nieuwsgierigheid was sterker dan mijn gêne en irritatie, dus spraken we af op het terras van De Jaren in Amsterdam. Dat was gisteren. Je kent De Jaren?'

Lena knikt bevestigend. Daar heeft ze heel wat zwoele zomeravonden met Victor doorgebracht.

'Dat terras is behoorlijk groot, hè, en altijd erg druk. Ik had nog gevraagd hoe we elkaar moesten herkennen, maar zij zei dat ze me wel wist te vinden. Dat klonk eigenlijk onheilspellend, ook al zei ze het lachend. Ik zorgde dat ik er iets eerder was. Er was nog net een tafeltje vrij. Het moest gewoon zo zijn, lijkt het wel. Hoe dan ook, al vrij vlot kwam zij ook. Ze

liep meteen naar me toe. Dries zal haar dus wel een beschrijving hebben gegeven, denk ik. Ik zou nooit gedacht hebben dat deze wel zeer aantrekkelijke dame zijn vrouw was. Ze leek in niets op de zeurderige huismuts die Dries beschreven had. Vriendelijk glimlachend gaf ze me een hand en stelde zich voor. Uiterst correct.
'En dit is Carola,' zei ze terwijl ze op de Maxi-Cosi wees die ze had meegenomen. Daarna zette ze de baby naast zich op de grond, wat voor Carola kennelijk aanleiding was om in een onbedaarlijke huilbui los te barsten, die Miranda overigens volledig negeerde. Ze bestelde uiterst relaxed twee thee bij de passerende serveerster. 'Laten we maar meteen ter zake komen,' zei ze. Man, die baby huilen, ik werd er bloednerveus van! De andere mensen op het terras begonnen zich er ook duidelijk aan te storen. Maar ze ging gewoon door, alsof er niets aan de hand was.
'Zoals je weet ben ik inmiddels op de hoogte van je affaire met mijn man,' zei ze onverstoorbaar. 'Ik ben hiernaartoe gekomen om je te zeggen dat je hem van mij mag hebben. Ik zal je geen strobreed in de weg leggen, ben eigenlijk wel blij eindelijk van hem af te zijn. Want jij bent natuurlijk niet de eerste,' glimlachte ze fijntjes.
'Dus ik wilde even de praktische kant van de zaak met je bespreken. Of je nou met Dries gaat samenwonen of niet, dat maakt mij niet uit, zolang je maar goed voor onze kinderen bent. Dat is het enige wat voor mij telt. Zoals je vermoedelijk weet hebben we er vier. De oudste is zeven en dit is onze benjamin van drie maanden,' wees ze op de huilbaby.
'Aangezien ik Dries het contact met zijn kinderen niet wil ontzeggen en vooral mijn kinderen niet het contact met hun vader, en ik uiteraard tijd nodig heb om een carrière op te bouwen, krijgt hij vier dagen per week de kinderen. Twee dagen door de week, en ieder weekend. Dat kan uiteraard nog meer worden, maar dit is om te beginnen.' Om te beginnen! Man, ik wist niet wat ik hoorde! Kijk, door de week zou natuurlijk fijn zijn probleem zijn, dat zou hij met opvang en

zo wel weten te regelen. Maar ieder weekend vier kids over de vloer, inclusief dat onophoudelijk blèrende geval, hoe lief ze ongetwijfeld ook is, maar niet mijn kind, hè – en dat zou ik dan moeten verzorgen! Ha! Ik kreeg het er Spaans benauwd van. Ik in één keer moeder van vier kinderen? Zie je het voor je? Nou, ik in ieder geval niet!'
Lena ook niet, maar het laatste wat ze wil is Gwen nu interrumperen.
'Ik zag zijn ogen weer voor me op die hotelkamer toen ik hem vertelde dat ik de telefoon had opgenomen. Ik zag deze vrouw letterlijk voor me zitten, die misschien mijn vriendin had kunnen zijn, namelijk echt een enorm leuk type. Ik keek naar die Maxi-Cosi, en ik wist het meteen helemaal zeker. *No way*! Van m'n lang zal ze leven niet! Kortom, ik heb haar dus vriendelijk geantwoord dat ik haar bedankte voor het aanbod, maar dat ik er niet op in zou gaan. Dat ik me inderdaad had laten verleiden tot een avontuurtje, maar dat het wat mij betreft niets meer was dan dat. Minzaam glimlachend had ze geld voor de thee op het tafeltje neergelegd, was waardig kalm opgestaan en nadat ze haar Maxi-Cosi had opgepakt, gaf ze me een hand. 'Vreemd, ik dacht al zoiets,' glimlachte ze mysterieus, voordat ze zich omdraaide. Mij volledig beduusd achterlatend natuurlijk. Man! Wat een vrouw! Vind je haar niet geweldig?' Gwen kijkt Lena vragend lachend aan.
'Ik vind het meesterlijk van haar.' Lena kan er niets aan doen, maar ze moet er enorm om grinniken. Gwen gelukkig ook. Ze belanden beiden in een onbedaarlijke slappelachbui.
'Wat een loser, hè, deze Dries,' brengt Gwen ertussendoor nog uit.
Haar vriendin pakt haar glas op en brengt het naar haar mond, maar zet het net op tijd proestend weer terug op de tafel. Ze giert het uit: de tranen stromen over haar wangen. Na een paar minuten herstelt ze zich en diept een tissue uit haar tas op.
'O ja, deze had ik nog voor je meegenomen, die wilde je toch inzien?' zegt ze terwijl ze Lena de *Adformatie* bureaubijlage

overhandigt. In dit jaarboek staan alle gegevens uit de reclamewereld, dat wist Lena nog uit de tijd dat ze werkte. Heel slim van haar, eigenlijk, dat ze in een helder moment eraan had gedacht Gwen te vragen of ze die niet eens mee kon nemen. Ze vraagt zich namelijk af of Victor haar mails ooit wel heeft ontvangen. Misschien klopt zijn adres niet meer?
'Waarom heb je die eigenlijk nodig?' informeert Gwen, terwijl ze met een doekje haar gezicht droogdept.
'Ach, iets onbelangrijks voor de expositie.' Woest bladert ze in het boek. Waar staan de adressen?
Daar. Met haar wijsvinger gaat ze het rijtje namen af. Ja hoor, hij staat er nog steeds in en ook zijn e-mailadres blijkt onveranderd.
Ze twijfelt of ze Gwen zal vertellen over haar problemen met Marcel. Eigenlijk wil ze alles kwijt over de ruzie die ze gisteravond met hem had. Hij was begonnen: 'Lena, ga gewoon werken. Ga je gedachten verzetten, het zal je alleen maar goed doen.'
'O ja, en Lauren dan?'
'Lauren zal daar geen schade aan ondervinden. Integendeel, zou ik bijna zeggen.'
'Integendeel, hoezo?'
'Het zal Lauren goed doen om met andere kindjes te spelen. Dan leert ze te delen.'
'Al die vieze crèches. Het zijn allemaal broeinesten van bacteriën.'
'Nou en? Ze is twee, hoor, en ze doet er veel weerstand mee op.'
'Ik heb toch een expositie binnenkort,' had ze geroepen, 'vind je dat dan helemaal niets?'
'Ik vind het grandioos, maar dat duurt nog een halfjaar. En je schilderijen daarvoor zijn al uitgezocht. Daar hoef je dus niets meer aan te doen. Je rookt te veel, je drinkt te veel en je piekert te veel.'
Ze wist dat Marcel gelijk had. Ze had haar leven niet meer onder controle. Ze dronk meer dan goed voor haar was, rook-

te evenredig, zoende met Pieter, piekerde over Victor, had fantasieën bij Paul, het moest allemaal niet gekker meer worden. Ze zou het ook niet aan Gwen voorleggen, want ze wist haar antwoord al.

HOOFDSTUK 28

'Vond je me écht goed, mam?' kakelt haar dochter opgewonden vanaf de achterbank. Ze heeft haar kikkerpak nog aan.
'Ik vond je geweldig, schat, je deed het hartstikke goed, ik ben zo trots op je!'
Kim was inderdaad geweldig, net als alle andere kleutertjes, die zojuist voor de trotse ouders een voorstelling hadden gegeven ter afsluiting van het schooljaar. Van pure ontroering had ze menig traantje weggepinkt over de prestaties van haar spruit. Spijtig dat Marcel er niet bij was, die moest op Lauren passen. Volgend jaar zou ze een oppas regelen. Dit was te leuk om te missen.
'We gaan het zometeen allemaal aan papa vertellen,' zei Lena.
'Nee, ik ga het vertellen,' klinkt het gedecideerd, 'jammer dat papa het niet gezien heeft, hè?'
'Ja, maar ik heb de dvd besteld, dus volgende week kan hij het allemaal uitgebreid zien.'
'Ja, en Lauren ook, mag ik nou die lolly opeten?'
'Doe maar, je hebt hem wel verdiend, hoor!'
Door haar halfopen raampje hoort ze de vogels fluiten dat het een lieve lust is.
Ze zijn bijna bij de galerie. Hé, er staat een ambulance op de stoep. Is die voor de galerie? Ja, kennelijk wel, de deuren staan daar wagenwijd open. Op het moment dat ze passeert, wordt er juist een brancard naar buiten gedragen. Binnen ziet ze wat mensen staan. Alle lichten zijn aan. Wat is daar nu aan de hand? In een impuls trapt ze op de rem, dan bedenkt ze zich.

Nee, beter van niet. Kim is bij haar, en wie weet wat er zich daar afspeelt. Ze zet die kleine snel thuis af en gaat dan wel weer terug.
In haar achteruitkijkspiegel ziet ze de ambulance vertrekken. Zonder sirene. Gelukkig, heel erg veel spoed is er dus niet bij.
'Zo, dat duurde,' begroet Marcel hen vrolijk als ze de voordeur opent.
'Dat was een hele voorstelling, dame, het is al over negenen!' Hij tilt Kim hoog boven zich uit. 'Laat me je bekijken, wat ben je mooi. Je bent een echte kikker!'
'O pap, het was zo leuk!' dweept het meisje.
'Doe jij haar naar bed, dan kan ze je alles vertellen, hè Kim?' Lena neemt Marcel apart. 'Er stond net een ambulance voor de galerie, ik ga even kijken wat er aan de hand is. Of er niets met Reinier is, bedoel ik.'
Marcel kijkt geschrokken. 'Een ambulance? Ja, ga maar gauw dan.' Hij loopt met zijn dochter in zijn armen de trap op.
'Ik wil alles van je horen, grote kikker van me. Kom, dan gaan we eerst in bad, even je gezicht goed schoonboenen.'
'Nee! Ik wil kikker blijven!' hoort ze haar dochter gillen als ze de deur achter zich dichttrekt.

Ze parkeert haar auto vlak bij de galerie. Hier mag ze niet staan, lekker belangrijk.
Bij de deur passeert ze een man met een dokterskoffer die net naar buiten gaat. De huisarts, waarschijnlijk. Hij kijkt neutraal. Niet gehaast, niet gestrest, er is niets aan hem te zien. Dat stelt haar enigszins gerust. Maar misschien kijkt een huisarts altijd wel neutraal, het is immers zijn vak?
Ze loopt naar het groepje mensen, dat druk met elkaar staat te praten.
'Ze zit nu nog beneden, helemaal in de war,' hoort ze iemand zeggen.
'Mag ik vragen wat er aan de hand is?' informeert Lena vriendelijk.
Een paar vreemde gezichten kijken haar verstoord aan. Ze

zwijgen. Mag ze het niet weten? Betreft het een staatsgeheim of zo? Ze realiseert zich opeens dat ze hier natuurlijk een vreemde eend in de bijt is. Ze zou zich eigenlijk voor moeten stellen, maar daar heeft ze geen zin in.
'Ik ben een vriendin van Reinier,' zegt ze dan, 'er is toch hopelijk niets met hem aan de hand? Ik zag daarstraks een ambulance vertrekken.'
Nog steeds wordt er niets gezegd. Dan ziet ze aan het einde van de pijpenla Pieter opduiken. Hij komt van beneden. Snel loopt ze naar hem toe.
'Hé Lena!' begroet hij haar amicaal. 'Wat kom je doen, als ik zo vrij mag zijn?'
'Eh, nou, ik zag daarstraks een ambulance wegrijden en maakte me zorgen of er niets met Reinier is?'
Het is wel duidelijk dat er werkelijk iets aan de hand is. Iets wat kennelijk niet zomaar aan iedereen verteld kan worden. Pieter slaat een arm om haar schouder en neemt haar weer mee naar achteren. Bij de houten deur staat hij stil.
'Je kent Reinier goed, toch?' vraagt hij op gedempte toon.
Ze knikt.
'Was het Reinier die werd afgevoerd?' zegt ze geschrokken.
Nu is het zijn beurt om te knikken. 'Er is niets ernstigs aan de hand, hoor, de dokter is zojuist vertrokken. Maar hij is wel voor de zekerheid naar het ziekenhuis gebracht. Voor onderzoek, alleen voor de zekerheid, want hij was inmiddels alweer bij bewustzijn. Maar hij hoestte nog erg, daarom willen ze er even naar kijken. Vermoedelijk een kwestie van een nachtje, uitsluitend ter observatie, zei de arts.'
'Wat is er dan gebeurd?'
Pieter kijkt ernstig, duidelijk in dubio of hij het wel zal vertellen. Hij zucht. En kijkt zwijgend naar het groepje mensen voor in de galerie.
'Als je het me niet wilt vertellen, moet je het niet doen. Dan hoor ik het wel van hemzelf,' bluft ze. Ze is allang blij dat er niets ernstigs aan de hand is.
Pieter gaat wat dichter tegen haar aan staan. 'Nee, oké, het

gebeurde in het spel. Het blijft een spel met risico's, hè.'
Ze heeft geen idee waar hij het over heeft, maar knikt begrijpend. 'Ja, dat zeker,' zegt ze.
Hij knikt weer. 'De Domina moet natuurlijk goed opletten, continu bij de les blijven en alles in de gaten houden. Ik wil niet zeggen dat deze Domina niet goed is, hoor, maar het is natuurlijk wel haar verantwoordelijkheid, en ze vindt het ook verschrikkelijk. Ze dacht dat hij in trance was en ging even naar de wc. Bij haar terugkomst bleek hij flauwgevallen. Ze heeft hem meteen losgemaakt en goddank ook direct de dokter gebeld. Toen de arts arriveerde, was Reinier alweer bij kennis. Hij is maar heel even weggeweest.'
Pieter zwijgt en schudt zijn hoofd. 'Het had ook heel anders af kunnen lopen, ze was er net op tijd bij,' vervolgt hij.
Wat is een Domina precies? Duidelijk dat het iets met sm te maken heeft. Gaat dit over wurgseks of zo?
'Welk spel deden ze?' vraagt Lena zo gewoon mogelijk, alsof ze volledig op de hoogte is van die gang van zaken.
'Eigenlijk niets afwijkends. Maar het komt ook door de warmte, hè. Reinier had het kennelijk erg heet gekregen en kon natuurlijk niets zeggen, want hij had een knevel in zijn mond. En zijn handen zaten geboeid achter zijn rug. Maar door de transpiratie is het leer van de halsband ook warm en nat geworden, daardoor kreeg hij zuurstofgebrek en is hij flauwgevallen. Toen Margreet terugkeerde van de wc, hing hij aan de deurpost. Ze is zich natuurlijk rot geschrokken. Ze zit nog totaal overstuur beneden, zichzelf allerlei verwijten te maken. Kom maar even mee, dan gaan we kijken hoe het nu met haar is. Misschien kun je haar geruststellen.'
Met trillende knieën loopt Lena naar beneden. Kennelijk denkt Pieter dat zij ook van de club is. Wil ze dit wel zien? Ze bedenkt dat de vorige keer dat ze deze gang naar beneden maakte, ze het met dezelfde knieën deed, maar dan om geheel andere redenen. Aan de zwarte tafel ziet ze een compleet in leer gestoken vrouw zitten. Ze zit met haar gezicht in haar handen. De ellebogen steunen op de tafel. Ze heeft een zwar-

te bustier aan en een kort, zwart rokje met lange lieslaarzen daaronder. Ze kijkt op als ze hen aan hoort komen.
Verrassend mooi is ze. Op haar gezicht is geen zweem te bekennen van de kwaadaardigheid die Lena zich altijd bij dit soort dames voorstelde. Ze heeft zelfs een zachte uitstraling.
Pieter loopt direct naar haar toe en knielt naast haar neer. De vrouw valt snikkend in zijn armen. Hij kust haar voorhoofd en streelt troostend over haar lange donkerblonde lokken.
'Ik kan het nu niet meer doen. Het mag niet meer, nooit meer!' schokschoudert ze.
'Rustig, Margreet, dit had bijna iedereen kunnen overkomen. En het is geweldig van je dat je meteen de huisarts hebt gebeld. Echt, je hoeft jezelf geen enkel verwijt te maken. Het komt weer helemaal goed met Reinier.'
'Ja, maar hij is nu wel naar het ziekenhuis,' brengt ze er tussen haar snikken door uit.
'Alleen maar voor de zekerheid, alleen maar omdat hij nog zo moest hoesten. Morgenochtend is hij weer thuis. Geloof me nou.' Hij pakt haar bij haar bovenarmen en trekt haar voorzichtig overeind. 'Kom, ik breng je naar huis, dan drinken we daar nog wat.'
In het voorbijgaan geeft Pieter Lena een knipoog. 'Ik spreek je nog,' beweegt hij zijn mond zonder geluid.
Ze kijkt hen na. Het lichaam van de vrouw is minstens zo mooi als haar gezicht.

HOOFDSTUK 29

Waar is die cd nou? Het is de enige die ze nu wil horen. Ongeduldig rommelt ze in haar dashboardkastje. Natuurlijk ligt hij onderop. Ze start haar auto. *How fragile we are*, zingt Sting een beetje hees. Tjonge, wat is dat waar. Het had maar zo gebeurd kunnen zijn. Een paar minuten later, en Reinier was er nu misschien niet meer geweest. Geheel tegen haar gewoonte in steekt ze een sigaret op, ze rookt nooit in de auto. Raampje ver open, zodat de lucht er snel uit trekt. De kinderen moeten er morgenochtend weer in. Ze heeft nu alleen nog maar zin in een ontzettend grote borrel. Maar niet thuis, ze wil even alleen zijn met haar gedachten. Ze keert haar auto en rijdt naar de dorpskroeg. Daar komt ze nooit, maar wat maakt het uit. Beter dat ze nu geen bekenden ziet. Ze wil nadenken.

'Een whisky graag.' Ze drinkt nooit whisky, maar nu wel.

'Welke wil je?' informeert de barman.

'Maakt niet uit.'

De barkeeper kijkt haar meewarig glimlachend aan. 'Is het zo erg?' grapt hij.

Ze heeft geen zin in zijn lolligheden en kijkt ongeïnteresseerd de andere kant op. Mond houden en schenken, gewoon je werk doen, denkt ze grimmig.

Zonder nog iets te zeggen, zet hij een glas voor haar neer.

Ze legt vijf euro neer. Hij geeft niets terug. Het zal dus wel goed zijn zo.

Die eerste slok is verschrikkelijk, maar de tweede begint te smaken.

Ze rilt. Onwezenlijk dat het maar zo gebeurd had kunnen zijn. Het leven, je weet er helemaal niets van. Het ene moment is het nog goed en het volgende kan alles anders zijn. Pluk de dag. En koester wat je hebt. Al die oorlogen, al die ruzies, al die misverstanden, al die teleurstellingen, al die kwetsuren, het gaat allemaal helemaal nergens over. Het leven, het nu, is het enige wat telt. En het elkaar zo aangenaam mogelijk maken. Ze drinkt haar glas leeg. Deze laatste slok vraagt om meer. Ze wil er nog wel een. Maar ze doet het niet. Ze moet nog rijden, ze gaat naar hem, en wel ogenblikkelijk. Het kan geen dag meer wachten, dat blijkt wel weer. Misschien is hij niet thuis. Dat ziet ze dan wel weer. Het enige wat er nu toe doet, is dat ze hem spreekt, hoe dan ook. En waarom zou hij niet thuis zijn?
Ze zet *Fragile* weer op. Ze gaat haar excuses aanbieden voor haar foute mail over die Braziliaanse. En dan gaat ze hem meteen uitleggen hoe rot ze het vond, want hij begrijpt er natuurlijk niets van. Het enige wat hij weet, is dat zij kwaad is omdat hij geen contact meer met haar wilde. Daar is ze ook boos om, en ze kan hem dan meteen naar de reden daarvan vragen. Maar eerst zal ze hem alles vertellen. Ze zal de abortus aan hem opbiechten en hem uitleggen dat ze zich daar zo schuldig over voelde. Dat dit zo enorm aan haar knaagde, ook – of misschien juist – omdat ze hem daar nooit in gekend heeft. Dat het schuldgevoel pas de kop opstak na de geboorte van haar kinderen, dat ze toen eigenlijk pas inzag wat ze had gedaan. Dat ze hem natuurlijk wel op de hoogte had moeten stellen. Niet dat ze spijt heeft van haar beslissing, het is dat ze die in haar eentje heeft genomen. Dat weet ze nu. En gedane zaken nemen geen keer. Hoeft ook niet, maar er een keer met hem over praten zou haar ongelooflijk opluchten, vermoedt ze. Dus dat gaat ze nu doen. Ze wil schoon schip maken, met hem en met zichzelf.

Hij heeft nog steeds dezelfde auto, ziet ze als ze bij zijn huis parkeert. Dezelfde kleur ook, alleen het nummerbord is

anders. Hij kan dus wel loyaal zijn, denkt ze bitter. Het grind knarst hard onder haar voeten. Het licht brandt, dus hij is vrijwel zeker thuis. Met een te hard kloppend hart drukt ze op de bel. Het blijft stil, ze belde ook wel heel kort, misschien heeft hij niets gehoord. Nog een keer dan. Met een zwaai vliegt de deur open. Ze schrikt ervan.
Verrast kijkt hij op haar neer. De verrassing lijkt niet aangenaam. Hij is gewoonlijk al een stuk groter dan zij, maar zo boven op die drempel lijkt hij een reus te zijn. En zij Klein Duimpje.
'Hoi,' zegt ze met een ongetwijfeld zielig glimlachje.
Hij schudt zijn hoofd en zegt niets.
'Ik wil even met je praten, heel even maar,' stottert ze. Dit komt natuurlijk helemaal niet goed over. Verre van zelfbewust en krachtdadig. Ze is weer zesentwintig, met het zelfbewustzijn van een geit van dertien.
Met een harde klap valt de deur voor haar in het slot. Nee! Hij heeft de deur voor haar neus dichtgesmeten! Ze belt nog een keer, nu lang en hard. En nog een keer, ze drukt haar vinger bijna door de deurbel heen. Maar er gebeurt niets. Dan opent ze het klepje van de brievenbus.
Ze zakt door haar knieën en gilt zo hard ze kan: 'Victor! Ik wil alleen even met je praten! Meer niet. En ik wil mijn excuses aanbieden!' Ze wacht. Alles blijft stil. Nog maar een keer dan.
'Vic, alsjeblieft, luister alsjeblieft even naar me!' Zo smekend heeft ze haar hele leven nog niet geklonken.
'Twee tellen, meer niet,' roept ze er nog achteraan.
Een oorverdovende stilte. Hij komt echt niet meer naar de deur, beseft ze. In een impuls pakt ze de baksteen die naast het stoepje ligt. Zal ze die eens even lekker door zijn niet gewassen ruitjes gooien? Ze zal daar gek zijn, zeg, moet ze nog voor de schade opdraaien ook. Keihard gooit ze het ding weer terug op de grond. Hij splijt in tweeën, ze is verbaasd over haar kracht. Terwijl ze langs die afschuwelijk grijze auto loopt, overweegt ze zijn banden leeg te prikken. Of met haar

nagelvijl de lak van zijn motorkap te bekrassen met de meest smerige tekst die ze kan bedenken. Maar ze loopt snel door en stapt weer in haar auto. Wat zou het heerlijk zijn om met deze wagen zijn onverzorgde tuintje in te rijden en de gehele voorgevel in elkaar te rammen! Zonde van haar auto natuurlijk. Ze wil *Fragile* nu niet meer horen ook. Ze drukt cd 3 in: *Torn* van Natalia Imbruglia. Het geluid moet harder.

... He showed me what it was to cry
Well you couldn't be that man I adored
You don't seem to know, don't seem to care what your heart is for
But I don't know him anymore...

Deze vrouw verdient het om góéd gehoord te worden. Lena draait het volume nog hoger.
Uit volle borst brult ze mee:

My conversation has run dry
That's what's going on. Nothing's fine, I'm torn
I'm all out of faith, this is how I feel
I'm cold and I am shamed lying naked on the floor
Illusion never changed into something real...

Ja, zo was het wel genoeg. Weg met die 'Song for Victor'.
Cd 4: *Nobody's wife* van Anouk. Dat past beter bij haar stemming. Precies goed, die opzwepende muziek. De tekst boeit haar nu allerminst, het gaat om het timbre en de sfeer.
What goes around, comes around, you'll see.
De onbestaanbare schoft. Had ze allang kunnen weten, wist ze allang, én nu weet ze het in ieder geval definitief zeker. Ze had toen geen andere beslissing moeten nemen. Het was de enige juiste.

'Hoe was het met Reinier?' informeert Marcel belangstellend. 'Ik ben er speciaal voor opgebleven.'

Ze loopt naar de ijskast en pakt er een fles wijn uit. Slapen kan ze nog lang niet, en ze heeft erg veel zin om haar dorst te lessen, of beter gezegd, haar woede en vernedering te verdoven.
'Valt allemaal erg mee, hij was flauwgevallen,' antwoordt ze.
'O gelukkig maar, zeker bevangen door de warmte. Dan ga ik nu naar bed. Ben enorm moe. Kim zat nog helemaal vol van de voorstelling en wilde maar niet gaan slapen. Ik heb hier zeker nog anderhalf uur met haar beneden gezeten,' hoort ze hem zeggen.
'O ja, dat is logisch, toch,' mompelt ze afwezig.
Hij geeft een kus op haar wang. 'Welterusten. Maak je het niet te laat.'
Ze zet haar pc aan. Een bericht van Paul, de lieverd. Hij vraagt zich af wanneer snel is. Dat is in antwoord op haar laatste mail, toen ze zo euforisch op Madonna danste en hem meldde snel een afspraak te willen. Ze grinnikt. Zie je, Paul krijgt haar altijd aan het lachen. In tegenstelling tot Victor, die haar eigenlijk altijd alleen ellende heeft bezorgd.
Ze gaat het gewoon doen. Maar waar? Dan schiet haar een restaurant te binnen waar ze ooit met Marcel en een zakenrelatie had gegeten. Dat was ergens buiten Amsterdam. Lag vrij afgelegen bij een jachthaven en het eten was er verrukkelijk. Dat restaurant werd voornamelijk zakelijk bezocht, de kans is klein dat ze daar een bekende tegen zal komen. En dat is beter, want er wordt zo snel gekletst. Nu weet ze het weer: het ligt in Buitenveldert, de naam van het restaurant ziet ze ook weer voor zich. Daarom antwoordt ze dat snel wat haar betreft morgenavond om acht uur is. Ze tikt de locatiegegevens in en vermeldt daarbij dat hij de routebeschrijving maar van internet moet plukken, want het is niet gemakkelijk te vinden.
'Ik reserveer wel een tafel,' luidt haar laatste zin. Ze springt op en rent naar boven. Marcel staat in de badkamer zijn tanden te poetsen.
'O ja, Mars, had ik je dat nou gezegd of niet, morgenavond heb ik een eetafspraak met Gwen. Kun jij dan hier zijn?'

Ze ziet hem nadenken. Als hij nadenkt, schieten zijn ogen altijd heen en weer.
'Nee, daar heb je volgens mij niets van gezegd,' zegt hij met de tandenborstel tussen zijn tanden. 'Morgenavond? Ja, dat kan wel. Dan werk ik wel thuis.'
Ook weer geregeld.

HOOFDSTUK 30

Hij zou casual zwart gaan, zodat ze hem in geval van twijfel zou herkennen, zo had hij vanochtend gemaild. En hij verheugde zich erop haar eindelijk te zien.
Zij is in het wit. Lange, dus vooral niet te korte, linnen rok en een strak shirt met diepe V-hals. Ze had nog getwijfeld of die hals niet te diep was, maar nee, dit moest wel kunnen. Niet te uitdagend.
Daar komt de bruid. Ze voelt haar hart een paar slagen overslaan en zucht diep. Even kalm ademhalen. Ze merkt dat ze wat gas terug neemt. Door de neus zes tellen in, in de buik vasthouden en dan langzaam door de mond tien tot twaalf tellen weer uit. En dat niet vaker dan drie keer. Het helpt haar altijd rustiger te worden. Nu niet, wat gaat ze in hemelsnaam doen? Het is niet gek, toch? Ze gaat gewoon eten, en je gaat zo vaak eten met iemand die je niet goed kent. Wat kan er nou gebeuren? En eigenlijk kent ze hem wel goed. Ze heeft hem alleen heel lang niet meer gezien. En ze wil natuurlijk verder ook helemaal niets met hem. Ze wil alleen weten wie hij nu is. Niets mis mee. En ze zal er wel voor zorgen dat het gesprek neutraal blijft, vriendschappelijk neutraal. Geen flirterig gedoe of zo.
Ze denkt terug aan vanochtend, toen ze zich op het schoolplein aansloot bij het groepje moeders dat druk met elkaar in gesprek was.
Tegenwoordig gaat ze er altijd gewoon bij staan, dan blijft ze op de hoogte van de lopende zaken. Het ging over de barbecue op de allerlaatste schooldag, overmorgen. Ze had inder-

daad intekenlijsten zien hangen in de hal, maar was vergeten zich aan te melden.
De moederelf voerde het woord. Met een ernstig gezicht stond ze de taken te verdelen, de intekenlijst uit de hal hield ze daarbij in haar hand omhoog.
'Oké, Annemarie, jij maakt dus de guacamole,' wees ze met haar pen naar een trots kijkende moeder.
'Ik ben vergeten mijn naam in te vullen op de lijst, dus ik wil het nu mondeling doen, kan dat nog?' informeerde Lena beleefd.
De voorzittende moederelf keek haar over de rand van het zilveren leesbrilletje onderzoekend aan. 'Natuurlijk, wat wil je maken?'
'Mijn specialiteit, die ik altijd doe bij barbecues.'
'Ah, wij zijn dol op specialiteiten! Wat is het?'
'Stokbrood.'
De gehele Nederlandse Vereniging van Goedgekeurde Huismoeders keek haar verbijsterd aan.
Het was natuurlijk een grapje geweest, maar nu besloot ze het zo te laten. Wat een humor, maar dat was geen nieuws. Ze namen hun taken zo ernstig, zelfs een heel klein geintje kon er nog niet vanaf. Dan niet, en dan bedoelde ze het dus serieus.
Toen de woordvoerster van de schok bekomen was, wees de pen naar Lena: 'Goed, jij doet het stokbrood, wat was jouw naam ook weer?'
Consciëntieus noteerde ze Lena's naam en specialiteit op het papier.
Verbeeldde ze het zich nou, of zag ze werkelijk een stukje tong tussen de op elkaar geklemde lippen van de moederelf verschijnen?
De pen ging alweer naar een vrouw tegenover haar: 'En Mariska, dan maak jij dus de fruitsalade?'

De gedachte aan het voorval maakt dat ze er zin in begint te krijgen, in deze ontmoeting met Paul. Lekker eens iets anders! En niets anders dan heel leuk, om elkaar na al die jaren weer

te zien. Ze drukt het gaspedaal verder in.
Ja, hier bij die schoen van de ING-bank moet ze eraf. Nu wordt het wat ingewikkeld, ze pakt de routebeschrijving erbij. Nou, nee, dat had ze uit haar hoofd nooit meer weten te vinden. Zou ze deze grote parkeerplaats hier rechts nemen? Beter nog even door. Achter dit smalle bruggetje is nog een kleinere parkeerplaats, herinnert ze zich, en die is dus dichter bij het restaurant. Er staan slechts een paar auto's, die van haar kan er nog gemakkelijk bij. Haar hart heeft zich opgesplitst en in delen verplaatst naar haar keel, maag en benen, als ze het portier dichtgooit. Een wandelende, tikkende tijdbom, dat is ze. Wat loopt ze zich toch aan te stellen? Ze passeert een donkergroene Range Rover. Zou die van hem zijn? Een vlaag opspelende adrenaline giert door haar buik. Aan haar rechterhand staat een grote houten loods. Zou dat een botenloods zijn? Lekker belangrijk, wat kan het schelen.
Door een gat in de dichte heg ziet ze aan de linkerkant een jachthaven. Er liggen veel boten, maar er is niet veel reuring. Het is eigenlijk merkwaardig stil. En dat voor zo'n mooie zomerse dag, denkt ze terwijl ze verder loopt.
Hup, ze heeft a gezegd, en ze hoeft niet het hele alfabet af. Doorlopen, het komt allemaal goed. Is alleen maar heel erg leuk. Gezellig vooral ook. Het is tien over acht, de kans is groot dat hij er al is en dat die Range Rover van hem is. Als ze rechts het terras van het restaurant op wil lopen, maakt ze pas op de plaats. Dit is te mooi om niet heel even nog te bewonderen. Voor haar strekt de plas, omrand door grote rietkragen, zich in serene rust uit. Het enige leven zijn de ontelbare mugjes die in groepjes vlak boven het water zwermen. De goudgele zon begint naar oranjerood te neigen. Als ze dat toch ooit eens in precies dezelfde kleuren zou kunnen schilderen!
Er zit niemand op het terras. Zonde van het schitterende uitzicht.
Ze opent de deur en struikelt bijna over de drempel. Zo, dat ging nog net goed, bijna had ze op stuiterende wijze haar entree gemaakt. Er zijn maar een paar tafels bezet. Daar in de

hoek, aan een tafeltje bij het raam, zit een man alleen. Met zijn rug naar haar toe en in het zwart gekleed. Middelblond, in wilde korte plukken geknipt haar. Dat moet hem zijn. Oef! Ze haalt diep adem en loopt ernaartoe.
'Hoi, Paul?' vraagt ze glimlachend.
'Lena!' zegt hij enthousiast. Hij staat niet op als ze hem een hand geeft. Hij zal ook wel nerveus zijn.
'Sorry dat ik wat laat ben,' excuseert ze zich.
'Geeft niets, hoor, ik zit hier nog maar net, was ook iets verlaat.'
Hm, normaal gesproken heeft ze er een hekel aan als mannen te laat komen, zeker op een eerste afspraak.
Waarschijnlijk zegt hij dit om haar op haar gemak te stellen.
De ober vraagt wat ze willen drinken.
'Kopstootje graag,' glimlacht Paul.
Ja, ze herkent zijn ogen. Hij is ouder, maar het lieve heeft hij behouden.
Zij bestelt een droge witte huiswijn.
'Ik ga zo ook op wijn over, maar eerst mijn rituele drankje voor het eten.'
Het klinkt als een verontschuldiging. Nu is het haar beurt om hem op zijn gemak te stellen. 'Al drink je de hele avond kopstoten, je moet doen wat je lekker vindt, hoor.'
Hij lacht. Nog steeds die leuke, guitige lach, een prachtige rij witte tanden wordt zichtbaar. Hier en daar is ook nog een sproet te zien. Wat lief.
Hij lijkt trouwens wel wat op Victor. Dezelfde blonde plukken en ook die huid. Die licht getinte, stevige huid, waar ze altijd zo dol op was. Zou hij ook hetzelfde ruiken? Niet raar gaan doen.
De drankjes worden voor hen neergezet.
'Proost,' zegt Paul, een beetje verlegen.
'*Cheers*,' houdt Lena haar glas omhoog.
'Fijne dag gehad, Lena?'
'Ja, was wel oké.' Ze had eigenlijk gedacht hem gierend van de lach het stokbrood-incident op het schoolplein te vertellen,

maar iets weerhoudt haar. Misschien is ze bang dat hij haar tuttig zal vinden? Zo'n huismoedertje met van die onzinnige anekdotes. Hij heeft tenslotte geen kinderen.
'Jij ook?' vraagt ze beleefd.
Hij knikt. Zo met gesloten mond heeft hij iets ruws. Eigenlijk net als toen, maar de tijd heeft zijn trekken ontwikkeld. Ook wat harder gemaakt. De licht gebogen lijnen om de op elkaar geklemde, niet te volle lippen geven hem iets strengs. Ook wel iets stoers, iets sensueels. Hoe zouden deze lippen zoenen? Houd toch op.
'Het was gewoon een dag,' ziet ze de mond zeggen, 'gewerkt, niets bijzonders dus. Tot nu toe dan, natuurlijk. Het is wel heel bijzonder om jou weer te zien.'
Hij heeft iets wat hem anders maakt. Iets mysterieus, iets roekeloos, iets onbesuisds. En dat in combinatie met serieus en lief.
'Dus druk aan het ontwerpen geweest,' glimlacht ze.
'Ja. Aan de gang geweest met een project voor de Luxemburgers. Een opleidingsgids waar ik de opmaak van doe.'
Hij vertelt dat hij voornamelijk lay-outs van boeken en tijdschriften maakt. Maar dat hij net zo graag fotografeert, een website ontwerpt of een logo bedenkt. Dat hij het leuk vindt om in doelgroepen te denken en dat iedere branche een andere benadering vereist. Geestdriftig legt hij uit dat hij het een uitdaging vindt om tekst en beeld tot een harmonieus geheel te smeden, uiteraard afgestemd op de wensen van de opdrachtgever. Inzicht in typografie en kennis van grafische technieken zijn daarbij onontbeerlijk, evenals een goede relatie met de drukkerijen. Gevoel voor sfeer, kleur en inlevingsvermogen zijn nodig om het werk net dat beetje extra te geven, waardoor het die bijzondere uitstraling krijgt.
Ze zegt dat zij in haar werk ook indirect met dit soort dingen te maken had, maar daar gaat hij niet op in. Hij is heel onderhoudend, zij hoeft eigenlijk niet veel te zeggen, wat helemaal niet erg is want ze hangt aan zijn gepassioneerd vertellende lippen.

Diverse schoolvrienden en -vriendinnen passeren de revue, regelmatig moeten ze hardop lachen om steeds weer een andere herinnering. Paul oppert het idee om een reünie te organiseren. Met de muziek van vroeger dan natuurlijk.
'Weet je nog, *The lion sleeps tonight* was de hit, die zomer dat we allemaal naar verschillende scholen zouden gaan. Mijn leeuw sliep nooit, trouwens nog steeds niet,' lacht Paul.
Ja hoor. Lena duwt haar teennagels hard tegen de zool van haar sandalen. Negeren maar, deze man-op-leeftijdopmerking.
'Wat hebben we daarop gedanst, de laatste avond. Nooit meer wat gehoord trouwens, van die groep, hoe heette die ook weer?' Paul kijkt peinzend voor zich uit.
'Tight fit,' weet Lena opeens, 'dat was inderdaad zo'n eendagsvlieg, net als die andere, van Dillinger: Cokane.'
Paul fronst zijn wenkbrauwen: 'Die was toen al een paar jaar oud.'
Wat maakt dat nou uit? 'We hebben er nog jaren op gedanst. Gewéldig.' Ze is weer helemaal terug in de tijd. In de met visnetten tot feestruimte omgetoverde garage, waar ze haar eerste feest gaf.
'*I want you to want me*, van Cheap Trick, dat was ook zo'n *all time favourite*,' zegt hij nu.
'O ja,' juicht ze bijna, wat vond ze dát een geweldige plaat.
'God, wat wilde ik jou, toen in het zwembad.' Dromerig kijkt hij haar aan.
Ze is meteen terug op aarde. Het gevoel van vroeger overvalt haar, dat ze snel terug wil naar de kant. Dat had hij beter niet kunnen zeggen, ze voelt zich niet gevleid zoals toen, het is ongepast. Ze zijn ook geen elf meer.
Gelukkig lijkt hij dat ook te vinden, want hij verandert meteen van onderwerp. Hij vertelt over een rally die hij onlangs reed. Tijdens het betoog ziet ze zijn ogen geregeld oplichten. Het valt haar op dat de twinkeling steeds slechts een fractie van een seconde beslaat. Meteen daarna verandert de uitdrukking van zijn ogen totaal. Wordt soms zelfs afstan-

delijk. Vreemd om te zien. Het is sowieso vreemd om hem te zien, opeens.
Abrupt staat hij op.
'Sorry, even naar het toilet,' zegt hij. Gek, het is net alsof hij zich zojuist vreselijk ergerde. Ze voelt zich wat ongemakkelijk, maar misschien verbeeldt ze het zich, is het de spanning die haar opnieuw parten speelt. Ze moet gewoon die zin over dat zwembad en zijn ogen daarbij vergeten. Maar die blik, die laat haar niet los.
Hè, ziet ze het wel goed?
Is dat echt de man van de moederelf die daar aan dat tafeltje zit, links tegen de muur? Hij heeft haar niet in de gaten, hij heeft natuurlijk ook geen flauw idee meer wie ze is, en hij is zo druk in gesprek met een al even gedistingeerde partner dat ze hem ongegeneerd kan bekijken. Het betreft hier duidelijk een zakelijk gesprek, dat ziet Lena aan zijn mimiek en aan de gebaren van beide mannen. Ja hoor, geen twijfel mogelijk, dat is hem. Absoluut. Inclusief modern soort van ziekenfondsbrilletje. Mooi pak, dat hij aanheeft. Hoe heet hij ook alweer? Hij heeft het wel gezegd, toen hij bij dat kinderpartijtje naast de moederelf opdook. O ja: Philip.

Daar komt Paul alweer aan. Goede zwarte broek, van Armani zo te zien. Die sneakers zijn wel leuk, maar eigenlijk is hij er een tikje te oud voor. Of misschien onder een spijkerbroek, in ieder geval niet bij deze zwarte jeans. Hij heeft een beetje o-benen en zijn voeten zet hij ver naar buiten.
Vriendelijk lachend gaat hij weer zitten. De irritatie is verdwenen.
'Zullen we dan nu maar een keuze maken,' zegt hij terwijl hij de kaart openslaat. Voor de zoveelste keer haalt hij zijn neus op.
'Verkouden?' kan ze niet laten te vragen terwijl ook zij het menu bestudeert.
'Nee, beetje hooikoorts,' antwoordt hij en hij slaat de kaart iets te hard dicht. 'Oeps,' zegt hij verontschuldigend.
Zij haalt haar schouders op en doet een stuk zachter hetzelfde.

Voor de ober het sein om de bestelling op te komen nemen. Paul bestelt een tournedos en een glas rode huiswijn. Zij gamba's en een rosé. 'En een karaf mineraalwater graag,' zegt ze tegen de vriendelijke ober.
'Een hele karaf, toe maar! Jij durft! Die Lisa, o nee, sorry, Lena,' lacht Paul.
'Lisa?' lacht ze ook.
'Stom, mijn ex-vrouw heet zo.'
Hij neemt een slok van de wijn, die de ober juist voor hem neerzet.
Het zit hem kennelijk nog hoog. Het is vermoedelijk minder prima dan hij haar luchtig mailde.
'Denk je nog vaak aan haar?' vraagt ze uiteindelijk, om de stilte te verbreken.
'Ach welnee, het was een *slip of the tongue*. Ik heb die naam natuurlijk een jaar of zeven dagelijks uitgesproken. Zit nog een beetje in het systeem. Alleen die naam, zij niet.'
'Nee?'
'Nee. Het was veel beter dat we uit elkaar gingen.' Een rare grimas verschijnt op zijn gezicht. 'Vrouwen: pffft.'
Verbaasd kijkt ze hem aan.
'Altijd zeuren,' verklaart hij nader. De lijnen naar zijn mond zijn nu diepe groeven.
Hij houdt zijn mond stijf gesloten. Het geeft hem iets wreeds.
'Ik werd er doodmoe van, van dat gezeur. Een gevangenis, dat was het!'
'Nou, Paul, niet alle vrouwen zijn zo, toch?'
'Nee? Ach, vast niet.'
Hij snijdt in zijn tournedos. Het bloed sijpelt eruit.
'Mmm, smaakt goed. Zijn jouw zeedieren ook lekker?'
Ze knikt. Ze heeft nog geen hap genomen, maar dat is hem dus ontgaan. Met haar handen breekt ze de kop en de staart er vanaf en peutert het schilletje van de garnaal.
Nee, ze verbeeldde het zich zo-even niet. Er is beslist iets veranderd.
'Geweldig om vrouwen met hun handen te zien eten. Dat heeft

iets wilds,' zegt hij met volle mond.
Ze kijkt naar buiten. Wat is het daar mooi.
En Philip is nog steeds druk in gesprek. Niet dat het er iets toe doet, natuurlijk.
'Gek hè, het is toch anders zo, nu we elkaar na al die jaren weer zien. Vind je ook niet?' Ze vraagt het lachend. Maar eens even kijken of er wat ijs te breken valt.
'Ja, dat is altijd zo. Soms is het een aangename verrassing en soms een minder aangename.' Zijn ogen staan nu vrolijk, hij lijkt er schik in te krijgen.
Altijd?
'Waar valt deze ontmoeting voor jou onder?' vraagt ze maar.
'Dat moet nog blijken, de avond is toch nog niet om?' zegt hij mysterieus.
Nee. Maar haar opgetogen gevoel is verdwenen. Misschien komt het nog terug.
'Ik vind het wel spannend, hoor, Lena, het is altijd even wennen.'
Weer dat altijd.
Hij kijkt geboeid hoe ze de gamba in haar mond stopt en knikt. 'Heel opwindend,' zegt hij nu.
Hoort ze het goed? De manier waarop hij dat woord uitspreekt maakt haar onpasselijk.
'Nou, Paul!' lacht ze maar.
'Ik was ook nog even in Barcelona, foto zien?' Zijn ogen stralen. Weer slechts een fractie.
Och, natuurlijk, die wil ze graag zien.
Hij haalt een foto uit zijn achterzak en gooit die achteloos op tafel. Twee gezichten kijken haar lachend aan. Naast hem poseert een dame die haar uiterste best heeft gedaan om op Nina Hagen van vijfentwintig jaar geleden te lijken. Zwart omlijnde ogen onder zwart getekende wenkbrauwen, in een spierwit gezicht met donkerpaars gestifte lippen.
'Was om zes uur 's ochtends, vlak voordat we naar een afterparty gingen,' licht hij toe.
'Heel leuk,' zegt ze, 'was duidelijk een heel gezellige avond.'

'Ja. We zijn die dag tot drie uur 's middags doorgegaan. Was echt geweldig.'
Ze stopt de laatste gamba in haar mond en veegt haar mond en handen aan het servet af. Dit gesprek kan onmogelijk nog gezellig worden. Ze is volledig afgeknapt. Van vroeger weet ze nog dat als ze dat gevoel eenmaal had, er geen weg terug meer was. Wat een desillusie. Die Paul, die zo veranderd blijkt. Het begin leek nog zo veelbelovend, maar er is iets gebeurd met hem. En dan die rare foto uit Barcelona. Dit heeft allemaal niets meer te maken met de mails die ze van hem ontving. Die getikte woorden zijn alleen leuk met je eigen fantasie erbij. Net alsof je een boek leest, dus. Dit boek heeft ze in ieder geval uit. Dan weet ze dat ook weer, mooi afgerond op deze manier. Bijkomend voordeel van deze catastrofe is wel dat ze morgen meteen gaat proberen die bijna ondergaande zon te vangen, die daarstraks boven dat water hing. Ze kikkert op bij de gedachte. Lekker weer met acryl, nog steeds onomstotelijk haar favoriete materiaal. Dat is deze man tegenover haar zeker niet. Er kan natuurlijk heel wat veranderen in ruim zesentwintig jaar.
'Wil jij nog een nagerecht of koffie?' informeert hij.
Ze ziet hoe aan het tafeltje van Philip koffie met allerlei heerlijkheden worden geserveerd.
Ze schudt haar hoofd. 'Nee, dank je. Ik ben eigenlijk ontzettend moe. Sorry, het was een drukke dag, en ik heb vreselijke hoofdpijn,' haast ze zich te zeggen.
Hij knikt begripvol en wenkt de ober.
'De rekening graag,' neemt hij het heft in handen.
'Even kijken,' zegt hij terwijl hij de ogenblikkelijk gepresenteerde rekening bekijkt, 'het is vijfentachtig euri, dat is dus ieder tweeënveertig vijftig.'
Hij had haar toch uitgenodigd? Ze mist Marcel opeens hevig. Wat is ze toch een koe om alles met hem als vanzelfsprekend te zien.
'Even naar het toilet,' mompelt Paul, nadat hij zijn deel op het schoteltje heeft gelegd.

Weer is ze overdonderd door het uitzicht op die weidse plas, omgeven door groen in de meest uiteenlopende tinten. Alleen de natuur krijgt dat zo voor elkaar. Maar zij gaat het ook proberen morgen, inclusief de ondergaande zon, die inmiddels is verdwenen.
Paul loopt vrolijk naast haar. Hij lijkt wel te huppelen. Ach, nog een paar tellen en dan is ze van hem af. Voor altijd, want mailen met hem behoort inmiddels tot de voltooid verleden tijd.
Hij neuriet wat, ze herkent de melodie direct.
'*Running around my brain, a whole lotta cocaine, running around my brain*,' zingt hij nu iets harder.
De jachthaven aan haar rechterhand ligt er nog net zo rustig bij als pakweg anderhalf uur geleden.
'*Jim, hey Jim*!' roept hij, en hij kijkt haar lachend aan. Wat zijn z'n ogen donker! Waren die niet grijs? Ze kijkt eens even goed terug. Die ogen zijn een en al pupil. Daardoor zijn ze zo donker, bijna zwart.
De huid van zijn gezicht lijkt ook strak te staan.
Hij huppelt niet, hij loopt te stuiteren! Eindelijk, daar staat haar auto. Ze is er bijna.
'*Jim, hey Jim! Where is Jim, man*,' gilt hij nu.
Met een vaart schiet hij omlaag, onder haar rok voelt ze zijn hand vliegensvlug een weg tussen haar benen omhoog zoeken. Hij staat nu weer rechtop en zijn hand heeft het doel bereikt.
'We gaan het nog wel even gezellig maken, hoor,' hoort ze hem oreren terwijl hij haar met zijn vrije hand naar zich toe trekt. Ze springt opzij om hem van zich af te schudden. Hij pakt haar woest vast.
'Kom op, Lena, de alles ontziende pena. Kom hier, geil wijf. Hier met dat geweldige lijf!'
Nee! Jim! De rijmende Jim met zijn weerzinwekkende teksten! Ze rukt zich los en rent weg, zo snel als haar hoge hakken dat toelaten.
Maar net als ze bij haar auto is, haalt hij haar in. Hij pakt haar bij de schouders en duwt haar naar de houten loods.

Hij is een monster, nee, erger. Ze gilt haar longen uit haar lijf. Woedend slaat hij zijn hand op haar mond.
Ze staat met haar rug tegen het harde hout. Er prikt iets onheilspellend tussen haar schouderbladen. Ze krijgt geen lucht meer. Wild schudt ze met haar hoofd, ze moet loskomen en wel ogenblikkelijk. Hij houdt haar strak tegen de loods gedrukt. Zijn knie voelt als een blok beton tussen haar benen. Haar shirt gaat aan flarden. Hij trekt haar beha kapot en wrijft ruw over haar borst.
Even verslapt zijn greep. De andere hand ligt nog stijf op haar mond.
Ze geeft hem zo hard als ze kan een knietje en rent naar haar auto. Onderwijl grabbelt ze als een bezetene in haar tas naar de sleutels. Godzijdank, eindelijk een keer meteen gevonden. Ze ontsluit de portieren met haar afstandsbediening en springt de auto in. Snel starten, plankgas spuit ze in een grote wolk stof weg. Ze is bijna bij het bruggetje als de Range Rover haar klem rijdt. Ze kan geen kant meer op. Waar zit die knop voor de deurvergrendeling nou ook weer? Maar het portier zwaait al open. Woest trekt hij haar de auto uit en zeult haar terug naar de loods.
'Dat had je toch niet gedacht, hè, dat je hiermee wegkwam. Wat ben jij een bitch, zeg!' bijt hij haar toe terwijl hij haar weer tegen die schuur aan gooit. Au! Wat kan hout hard zijn.
'Dit is waar jullie allemaal om vragen,' hoort ze hem ronken terwijl hij haar als een bezetene door elkaar schudt. Haar hoofd bonkt hard tegen het hout. Keer op keer. Houd op! Maar ze kan niets zeggen. Een ondraaglijke pijn schiet door haar hoofd. Geel wordt oranje, en oranje wordt rood. Donkerrood. Zwart.

HOOFDSTUK 31

Die ogen! Ze zijn nog zwarter dan de dikke eyeliner eromheen. Ze priemen door haar heen. Dat donkerrode stro rafelt over de gouden omslagdoek. Wat glinsteren die daarop geborduurde spiegeltjes verschrikkelijk in het schijnsel van dat rare olielampje. Zou er huid onder die bruine plamuurlaag zitten? Brr, stop met dat getrommel van die knokige vingers alstublieft. Er zitten toch geen vlooien in dit vettige tafelkleed?
En wat is het koud! Dat idiote kacheltje in de hoek slaat nergens op.
De zilveren en gouden sterren en manen van de donkerblauwe tenthemel buitelen over haar heen.
'Het wordt heel bijzonder. Je ontmoet hem op een heel speciale manier. Je herkent hem niet meteen als de man van je leven. Maar let op: hij is het wel!'
Ze lacht, steeds harder, en haar bovenlichaam schudt heen en weer. Een hysterische lach. Een oude heks, dat is ze. Haar verschijning vervaagt als het beeld van een televisiecamera dat onscherp wordt. De kleuren blijven over. Donkerrood, blauw, dat felle goud en zilver. En de geur van ouderdom, vermengd met de aardse lucht van de grond onder haar.
Eindelijk, de heks is weg.

Het beeld wordt langzaam weer scherp en de waarzegster heeft plaatsgemaakt voor een man. Een Arabier? Ze wist niet dat ogen zo kil konden zijn.
'Houd je hand stil,' beveelt hij haar. 'Zo kan ik het niet goed zien.'

De top van zijn wijsvinger schuurt over de binnenkant van haar rechterhand.
Gatverdamme, nu knipoogt hij ranzig naar haar vriendin. Is dat Gwen, die naast haar zit? O, o, wat heeft hij een haast om weer met haar te kunnen flirten. Ja, het is Gwen. Houd maar op dan, het hoeft niet.
Maar ze kan niks zeggen. Ze wil naar Tim, daar aan de bar. Ze neemt nog maar een slok.
'Houd die hand stil!' snauwt hij.
Zal ze die hand omhoog gooien, vol in zijn gezicht?
Laatdunkend schudt hij zijn hoofd. 'Het is te veel. Er gaat iets gebeuren, iets dramatisch, ik weet niet wanneer of wat. Uiteindelijk zul je het wel vinden, alleen hoe of met wie kan ik je niet zeggen. Ik zie te veel mannen. Veel te veel.'
Nee, zij is hem te veel.
Ze kijkt naar Tim, aan de bar. Hij zwaait en lacht naar haar. In zijn ene hand heeft hij een glas bier en met de andere hand maakt hij nu een beweging van kom even. Kom, kom nou. Kom dan!
Maar ze kan niet opstaan. Het gaat niet. Haar ogen voelen zo zwaar. En au, pijn. Wat doet er pijn? Waarom heeft ze zoveel pijn? Ze probeert terug te zwaaien. Haar hand is ook te zwaar. Heel ver weg hoort ze een stem iets roepen. En nog een keer. Waarom wordt er zo geschreeuwd?
'Haar hand beweegt!' roept de stem nu.
Ze ruikt een rare, sterke geur.
Ze kent die lucht wel. Haar vader met allemaal zuignappen op zijn lichaam. De slangetjes verbonden aan indrukwekkende apparaten. Die grote, trotse papa, nu zo klein lijkend in dat vreemde bed in die veel te lichte kamer. Met al die apparaten die piepen en streepjes laten zien.
Papa, ik hou zoveel van jou. Haar vader glimlacht zoals alleen hij dat kan. Die glimlach die haar altijd rust geeft. Die haar laat voelen dat alles goed is.
Het is goed. Hij zwaait ook: tot ziens, of zo lijkt het.

Tot ziens? Nee papa, kusje!
Weer die glimlach: het is goed en papa is weg.

'Haal een dokter; ze beweegt!' roept de stem weer. Het geluid komt dichterbij.
'Ze beweegt, ze bewoog haar hand weer!' klinkt het juichend en een stuk duidelijker nu.
Het is een vrouwenstem, een heel bekende vrouwenstem. Van haar dochter?
Nee, het is een oude stem. Wat zijn haar ogen zwaar.
'Dokter, haar hand bewoog net een paar keer en ik dacht dat haar oogleden ook bewogen.'
Ze kent die bezorgde ondertoon. Ze weet het nu, het is haar moeder. Wat doet haar moeder hier?
Waar is ze? Wat is er? Ze moet even kijken. Het moet. Maar het gaat niet.
Toch proberen, want het moet.
Alles is wit. Alleen maar wit.
Vage vlekken verschijnen nu vlak boven haar.
'Lena, als je me hoort, wil je dan alsjeblieft je hand bewegen,' klinkt haar moeder smekend.
Mama, natuurlijk. Maar hoe? Ze probeert nog maar eens te zwaaien dan.
'Ja, mensen, gefeliciteerd,' hoort ze een zware mannenstem.
'Ze komt erdoorheen.'
Ze is moe. Ze moet even slapen.

HOOFDSTUK 32

Met het kussen dik opgeschud in haar rug neemt Lena genietend een slok van haar koffie.
Eigenlijk helemaal niet erg om de hele dag bediend te worden. Ze realiseert zich dat ze dit alleen kan denken omdat ze overmorgen naar huis mag.
Straks is alles weer normaal en bij het oude, heerlijk samen met Marcel en haar dametjes. Volgens de dokter zal ze volledig herstellen, ze is niet te lang buiten bewustzijn geweest. De weliswaar zware hersenschudding zal thuis met veel rust gewoon genezen.
Bijna alsof er niets gebeurd is. Nou...
Wat een ongelooflijke mazzel dat het ziekenhuis op slechts een paar minuten afstand was. En dat Philip vlak na hen had afgerekend. Hij had haar gevonden en was direct met haar naar het ziekenhuis gereden. Van Paul was natuurlijk geen spoor meer te bekennen geweest.
Philips vrouw Christine stond meteen de volgende dag bij haar bed. En daarna nog drie keer, steeds met een lief cadeautje.
Haar inmiddels zo bewust kloppende hart was op hol geslagen toen Victor opeens tijdens het bezoekuur verscheen. Marcel was net weg, goddank, want die hadden ze er niet bij kunnen hebben. Ze had een keer of honderd met haar ogen geknipperd, voordat ze wilde geloven dat ze het werkelijk goed zag. Ten overvloede had ze ook nog onder het dekbed in haar arm geknepen.
'Hallo Magdalena,' zei Victor, voordat hij haar wang kuste.

In zijn hand had hij een bos rode rozen.
'Deze wilde ik je even komen brengen. Ik kwam zojuist Pieter tegen, die had het vanochtend van Rogier gehoord. Gaat het weer een beetje?' De bezorgdheid in zijn ogen kon haar niet ontgaan.
Ze had geen woord uitgebracht en alleen maar geknikt.
'Het spijt me erg van laatst,' zei hij, toen hij op de kruk naast het bed ging zitten. 'Natuurlijk had ik wel naar je willen luisteren, maar ik kon het niet. Die mails die je me stuurde...'
Hij liet even een pauze en staarde naar het dekbed. 'En ik was ook wel boos, zo teleurgesteld, dat je me overal buiten had gehouden. De schok was te groot, ook al was het dan al twaalf jaar geleden en overzagen we beiden misschien niet wat we deden, toen.'
Aanvankelijk had ze niet geweten waar hij het over had. Maar langzaam was het tot haar doorgedrongen dat hij het gehoord moest hebben. Durfde ze dat te denken.
'Het was ook van mij. En ik was zo gek op je! Zo compleet vol van alleen jou. Maar het was altijd net alsof jij niemand nodig had. Mij in ieder geval in de allerlaatste plaats.'
Ze voelde zich slap worden, en bang om uit het bed te vallen, had ze met haar handen de stangen aan weerskanten stevig omklemd. Moest dit nu gezegd worden? Nu, en hier?
'Van wie heb je het dan gehoord?' was het enige wat ze uit kon brengen.
'Dat doet er toch niet toe. Diegene had in ieder geval haar mond voorbijgepraat en voelde zich daar direct schuldig over.'
Haar mond. Een vriendin dus. Gwen? Wat doet het er nu ook nog toe.
'Waar het om gaat, is dat ik ontzettend veel van je houd. Nog steeds. Veel fouten heb gemaakt, maar die wil ik heel graag herstellen. Als je me tenminste nog een kans wilt geven.'
Met een schok had ze het absurde van de situatie ingezien. Nog een kans geven? Ze was getrouwd met de liefste man van de wereld, van wie ze ook nog twee prachtige kinderen had.

Ze had geglimlacht, het was wel lief van hem om dit te komen zeggen.
'Dank je, goed om te horen, en ik ben er blij mee. Ik was ook erg dol op jou toen. Nu ben ik getrouwd, natuurlijk.' Ze hoorde hoe zwak haar stem klonk. Ze had het heel graag met meer overtuiging gezegd, maar de kracht ontbrak haar.
Hij knikte en zweeg.
Ze wist het zeker. Het verleden was voorbij. Het enige wat ze wilde, was dat het weer helemaal goed zou komen met Marcel. Want alles wat ze maar kon verlangen, zelfs veel meer dan waar ze als zesentwintigjarige op durfde te hopen, had ze al lang: gewoon thuis. Ze moest Marcel uiteraard nog wel een en ander uitleggen.
'Niet nu,' had de lieverd bezorgd gezegd, toen zij begon aan een soort uitleg, maar ook merkte dat het haar te veel was, dat ze duizelig werd en geen adem meer kreeg. Ze had zijn spanning gevoeld. Het was duidelijk dat hij haar niet lastig wilde vallen met zijn vragende emoties.
'Doe straks maar, als alles een beetje bezonken is. Eerst beter worden, Lena,' had Marcel gezegd.
'Word eerst maar beter,' zei Victor terwijl hij opstond.
'Ik ga nu weer, want je bent moe, hè, ik zie het aan je.'
'Ja,' had ze geantwoord, 'ik moet echt even slapen.'
Ze had nog wel zijn kus op haar wang gevoeld.

Ze pakt het tegeltje dat Christine grijnzend meebracht achter Reiniers kaart vandaan. Een heel vrolijke kaart trouwens, want naast de voorbedrukte mededeling '*Get well soon*' staat geschreven: 'Denk erom, je hebt straks een mooie expositie!' Die gaat dus ondanks al haar sombere voorgevoelens toch door. *Life is what's happening to you while you are busy making other plans* (John Lennon), leest ze voor de inmiddels honderdste keer op het Delfts blauwe aardewerk.
Wat een waarheid, deze tekst. En wat was ze een truffel. En wat een leuke, lieve vrouw is Christine. Ze moest eens weten hoe Lena haar steeds de moederelf had genoemd! Zij met haar

stomme vooroordelen ook altijd. Vooroordelen zijn zonder uitzondering gebaseerd op angst. En met al haar angsten was ze in de val van Paul gelopen.
Victor. Ze had nooit durven dromen ooit zo zeker te voelen dat hij definitief verleden tijd is. Dat ze haar verleden moet laten rusten, heeft het heden haar nu wel onomstotelijk laten zien. Het gaat om de toekomst, en in dat kader vroeg Gwen haar gistermiddag of ze ervoor voelde om twee middagen per week les te geven op het Centrum voor de Kunsten in Haarlem. 'Ze zoeken een docent tekenen en schilderen, hoorde ik van een vriendje dat daar lesgeeft. Ik kan wel een goed woordje voor je doen. En ze hebben daar nog kinderopvang ook. Helemaal top, toch?'
Zo heeft elk nadeel onmiskenbaar zijn voordeel. Omgekeerd geldt precies hetzelfde, en dat moet ze nu maar eens gaan accepteren.
With a little help from her friends, want Mireille had het boek *Mindfulness* voor haar meegenomen. *Leven in het moment*, luidt de ondertitel.
'Ik heb het in een adem uitgelezen en er veel van opgestoken. Het is ook echt iets voor jou, Leen.'

De deur gaat open. Een verpleegster komt lachend binnen.
'Post! Een mooie kaart voor u, alstublieft.'
Het is een kleurig geborduurde afbeelding van een stel dat de tango danst. Nieuwsgierig draait Lena het kaartje om.

Lieve Magdalena, ik zal er altijd voor je zijn.

Ze scheurt het geplastificeerde karton verticaal doormidden. En daarna horizontaal nog een keer. Grappig dat het gevierendeelde dansende stel precies in het midden geraakt is.
Hij en zij zijn verticaal met behoud van beiden gesepareerd. Ter hoogte van beider kruis zit de horizontale scheur, alsof de kaart ervoor gemaakt was.
It's always good to be back home.